A *Meriedh,*

fo veube des yeux bleus

et des

Vocations

roman

et couleur.

Affection

Frédéric

Données de catalogage avant publication (Canada)

Schweitzer, Ludovic
    Vocations
    (Roman)
    ISBN 2-89031-474-X

    I. Titre.

    PS8587.C597V62 2003   C843'.6   C2003-940004-2
    PS9587.C597V62 2003
    PQ3919.2.S38V62 2003

Nous remercions le Conseil des Arts du Canada ainsi que la Société de développement des entreprises culturelles du Québec de l'aide apportée à notre programme de publication. Nous reconnaissons également l'aide financière du gouvernement du Canada par l'entremise du Programme d'aide au développement de l'industrie de l'édition (PADIÉ) pour nos activités d'édition.
Gouvernement du Québec – Programme de crédit d'impôt pour l'édition de livres – Gestion SODEC

Mise en pages : Jessica Lemieux
Maquette de la couverture : Raymond Martin
Illustration de la couverture : *Honeymoon SJPJ-3*, photographie de Ève K. Tremblay et Michel de Brouin

Distribution :

Canada
Dimedia
539, boul. Lebeau
Saint-Laurent (Québec)
H4N 1S2
Tél. : (514) 336-3941
Téléc. : (514) 331-3916
general@dimedia.qc.ca

Europe francophone
Librairie du Québec / D.E.Q.
30, rue Gay Lussac
75005 Paris
France
Tél. : (1) 43 54 49 02
Téléc. : (1) 43 54 39 15
liquebec@noos.fr

Dépôt légal : B.N.Q. et B.N.C., 1er trimestre 2003
Imprimé au Canada

Ludovic Schweitzer

Vocations

roman

Triptyque

L'auteur aimerait saluer Priscille, Annick et Hervé Martin, le groupe de Port-Royal, Diane Poirier, et son admirable maître et ami Raymond Joly.

À mes parents

Une place au soleil

Il m'arrive souvent de penser que je n'aurais pas dû acheter cette maison. C'est l'une des plus belles et des plus convoitées de la ville. Le parc est assez étendu pour se sentir chez soi et, de mon fauteuil, j'entends l'eau qui coule dans la fontaine, sur la terrasse. Je ne pouvais pas rêver mieux. Et depuis que mes revenus ont dépassé le million de dollars, par mois, il m'est devenu impossible de vivre dans un endroit moins luxueux.

La demeure que j'ai habitée pendant quatre ans avant de m'installer ici, avec sa dizaine de pièces plus ou moins lumineuses – et qui donnaient sur la rue de façon trop directe –, m'était devenue insupportable. Il m'a bien fallu quitter ce vulgaire refuge pour m'installer dans des lieux qui convenaient à mes besoins les plus élémentaires.

Et ne les ai-je pas trouvés, me direz-vous? Si, bien sûr. Ma nouvelle maison a tout d'un paradis. On doit penser, en longeant le mur d'enceinte au-dessus duquel frémissent les feuillages d'arbres centenaires, que l'endroit est imposant. Et devant les grilles qui s'ouvrent sur une longue avenue de platanes majestueux, je suis sûr que l'on doit imaginer tout un tas de choses sur le maître des lieux. Mais, que voulez-vous, il faut assumer ce genre de situation sans gêne ni fausse modestie. On est quelqu'un : on ne peut pas se défiler. Les faux-fuyants ne font que nous égarer sur des pistes dangereuses. Il faut s'accepter comme on est et faire avec.

Quand on a compris cela, tout n'est pas encore réglé. Parce que les objets, c'est une chose, et les humains, c'en est une autre. Et il faut bien admettre que si du premier coup d'œil on reconnaît dans un édifice la race et la distinction qui assurent le bien-être de ses occupants, on ne peut pas dire que les êtres vivants se caractérisent par la même transparence et la même loyauté.

Prenez les chats par exemple. Je ne peux pas concevoir d'être plus instable et plus malhonnête qu'un chat. Il m'est arrivé une fois d'accueillir l'une de ces bêtes à poil dont on m'avait garanti le pedigree. Sa démarche élastique et ses yeux pleins d'une mystérieuse profondeur charmèrent mon entourage. Il était magnifique, mais je dus m'en séparer bien vite, à contrecœur notez-le bien. En effet, malgré tous les soins que je lui faisais prodiguer et la nourriture choisie dont on composait ses repas, pas une fois, pas une seule fois, il ne m'a manifesté de la reconnaissance. Quand, entouré d'amis, je l'entendais ronronner de bonheur dans des girons —souvent féminins d'ailleurs —, jamais il ne se montra digne de mon estime. Non, jamais il ne vint chercher auprès de moi les caresses que j'étais impatient de lui dispenser.

Cette situation est rapidement devenue intolérable. J'avais tellement joui de l'idée d'une bête carnassière et dressée, blottie sur mes genoux pour profiter avec moi d'un bon feu de cheminée, que ma déception fut aussi grande que ma colère.

Il faut dire que dès son arrivée, l'animal, en plus de m'éviter avec une sournoise hypocrisie, s'était mis à me toiser un peu trop fièrement à mon goût. Je n'eus ni l'envie ni la patience de chercher à comprendre la logique d'un tel comportement. Cette bête était une mauvaise coucheuse, et elle avait pris trop de place chez moi pour que j'en souffrisse la présence plus longtemps.

Ce fut pendant un bel après-midi d'été que je lui manifestai mes sentiments avec franchise. Elle faisait sa toilette, assise sur le carrelage de la terrasse. Une porte-fenêtre, ouverte, transformait en un tableau charmant cette scène du chat léchant ses pattes, puis se frottant les oreilles au soleil. Une douce torpeur eût dû envahir mon esprit et calmer mes sens. Je ne ressentis qu'une amertume glacée. Je m'approchai en dissimulant la haine furieuse qui montait en moi.

J'agis en un éclair. Elle sentit mon mouvement, dressa la tête et, sans doute, s'apprêtait à sortir ses griffes acérées, mais il était déjà trop tard.

Je lui expédiai un coup de pied d'une rare violence. Le plaisir que je ressentis en exerçant ma vengeance fut intense. Elle décolla, le poil hérissé, et un cri aussi impuissant que furieux sortit de sa gueule ouverte, mais elle ne put y échapper : au bout de sa course aérienne se trouvait l'eau pure de la fontaine. J'ai rarement éprouvé une joie aussi profonde qu'en admirant cette bête délicate bondir hors de l'eau et, le poil à présent collé à ses flancs, fuir comme un vagabond en hardes que l'on a surpris en train de voler. Je fus même envahi d'un vague sentiment de honte devant cette créature abandonnée de tous. Il me fallut lutter contre moi-même et ne pas céder. La bête était mauvaise. Le mal doit être combattu. J'étais le héros anonyme et humble de cette lutte éternelle. Le soir même, j'annonçai à ma bonne favorite – jeune et belle comme un cœur – que le monstre était à elle.

Elle me remercia avec tant d'humilité et de reconnaissance dans la voix que j'en fus troublé. Ah! avoir la même relation avec tous les êtres vivants!

Cette petite bonne est très sympathique. Tous les membres de mon personnel ne le sont pas autant. Voilà le calvaire, voilà où s'affichent sans complexe l'incompétence et l'immoralisme humains. Ils sont pires que des bêtes.

J'ai beau crier, j'ai beau m'expliquer calmement, rien n'y fait. Il y a de ces êtres sans bonne foi qui vous planteraient un couteau dans le dos en vous expliquant que votre survie en dépend. La vieille bonne qui a la charge d'une partie du rez-de-chaussée est sourde à toutes mes remarques. Eu égard à son âge, je ne peux pas la chasser. Je me contente de lui hurler dans l'oreille de ne pas déplacer mes affaires. Rien n'y fait. C'est triste. On aimerait vivre en bons termes avec ses gens. Malheureusement, il y a des choses qu'ils ne pourront jamais comprendre.

Je me suis fait une raison. Pour retrouver mon calme, je m'installe dans un fauteuil profond et je lis. Je suis souvent distrait par des souvenirs qui remontent. L'un de mes préférés se passe pendant des vacances au bord de la mer. La chaleur est accablante. Le soleil ne quitte le zénith que pour nous offrir ses plongeons enflammés dans la mer. La foule est présente partout. Sur la route, sur le parking géant où cuisent les véhicules, sur le sable brûlant et devant les stands envahis. Il faut attendre longtemps pour se procurer un maigre bâtonnet de glace à l'eau. Mais le temps ne compte pas. J'aime aller et venir au milieu de mes semblables. Les enfants se pressent pour un tour de toboggan. Le sable colle sur la peau salée des bains de mer, il crisse.

Un jour, une fille de mon âge est venue s'installer avec ses parents à côté de nous. Je la regarde sans y prêter attention. Mon esprit vagabonde avec désinvolture. Il faut que j'aille me mettre à l'eau, que je plonge encore et encore dans une débauche d'énergie inépuisable. Je ne pense à rien d'autre qu'au plaisir de recommencer, comme une machine au mouvement perpétuel, les actions féroces et joyeuses qui amènent, comme l'alcool, l'ivresse, la plénitude bienheureuse.

Je pars marcher. Au bout de la plage se trouvent des escarpements. Ce sont des rochers qui brisent la longue langue de sable. De petites criques se dissimulent au-delà. Escalader la paroi me donne une occasion supplémentaire de faire jouer ces muscles qui se cherchent de l'exercice. À quoi bon, parvenu au sommet, contempler l'azur accablant des flots et des cieux? Je dérape et une égratignure au genou retient toute mon attention. On va me gronder pour cela et peut-être interdire mes escapades solitaires.

Le sang affleure, une sensation de dégoût me saisit. Je repars. La descente, de l'autre côté, est gênée par ma peur. Je dois à tout prix protéger mon genou. Aucune douleur véritable n'entrave mes mouvements. L'angoisse émane d'une plaie plus profonde et me serre le cœur. J'ai emprunté ce chemin de nombreuses fois. Dans quelques secondes, je ne pourrai plus me retourner pour jeter un œil en arrière, vers l'immensité de la plage, et me dire que mes parents sont là-bas, un peu avant le bâtiment blanc de l'école de voile.

Mon genou me préoccupe tellement que je manque tomber. J'ai chaud, mon pouls s'accélère, mais un réflexe que je ne connais pas me sauve de la catastrophe. Un dernier bond termine la descente. Les parois rocheuses encadrent la crique. La mer s'offre à moi. Peut-être vais-je rentrer à la nage? Je vois soudain une silhouette sortir de l'eau. Immobile, je ne peux rien contre la stupeur qui s'empare de moi. Elle semble ne pas m'avoir vu. Mais c'est impossible car nous sommes seuls. Ses mouvements d'une féminité outrée me paraissent un jeu étrange dont j'ignore les règles. J'aimerais en rire.

La petite fille arrivée aujourd'hui passe devant moi d'un air innocent. On dirait une caricature de femme. Une force inconnue est en train de me renverser. Dois-je lui parler, lui proposer de jouer ensemble? Pourquoi parade-t-elle ainsi devant moi en feignant de ne pas me voir? Je cherche avec maladresse la réaction qui me tirera de mon errance. Mon ombre tourne alors que je la suis des yeux. Elle gravit avec souplesse les rochers et, avant de disparaître, dans un mouvement rapide et efficace, me lance un regard qui achève de m'éblouir.

Ma jeune bonne se tient debout devant moi et me tend le livre que je lui ai demandé. Je ne l'ai pas vue venir. Elle a une manière très personnelle de décolleter son chemisier de service. Son sourire me la rend sympathique. J'en oublierais presque les complications de mon quotidien.

Le livre qu'elle m'apporte s'intitule *Clarisse aux mille visages*. Mon ami Jacques me l'a offert à Noël. C'est bon, les amis. Nous aimons parler littérature et les premières pages de ce roman sont captivantes. Nous allons en discuter longuement autour d'un bon verre. Je m'en régale d'avance.

«Clarisse porte en elle la vie de mondes pleins de bonheur et d'autres s'abîmant dans un désespoir vertigineux. Elle aime, chaque matin, à se dessiner une personnalité différente et ne cherche les habits de sa journée qu'après avoir fixé les traits de caractère dont elle a décidé qu'ils combleraient son appétit de nouveauté. Clarisse est comédienne.

Ce matin il lui prend l'envie d'être pleine d'interrogations. Aussi, après quelques gestes indécis où elle éprouve l'exacte application de ce sentiment qu'elle fait naître en elle, elle se questionne. Ses vêtements devront aujourd'hui la situer dans l'à-côté. Peut-être laissera-t-elle à une mèche de cheveux le soin de manifester qu'elle n'est pas sûre d'elle-même et que sa vie, telle que les gens pourront la deviner, n'est pas enferrée dans le sillon des habitudes ou bien que, l'étant, elle met sa situation en question? Il faut décider de ces nuances avant de croiser le premier regard étranger. Sa paix intérieure est à ce prix.»

J'aime beaucoup l'univers du théâtre. Ces femmes et ces hommes qui parviennent à changer d'identité me fascinent. J'en reçois parfois ici, mais je n'en connais pas intimement. En soirée, ils reprennent leur personnalité habituelle.

Je m'amuse parfois, pas sur une scène, uniquement dans la vie quoti-dienne, à jouer des rôles. C'est un réel plaisir de deviner dans l'œil d'un passant que mon vieux manteau élimé, mes bras ballants et mon cou incliné dans une pose défaitiste et morne ont su faire croire à ma pauvreté et à l'état dépressif que connaissent ceux qui ont échoué. Le passant détourne souvent la tête. J'ai eu le temps de savourer son air de dégoût ou d'apitoiement un peu malsain, et je suis ravi.

Je n'adopte évidemment pas toujours les mêmes rôles. Quand j'ai ren-contré Hilda pour la première fois, je m'étais mis dans la peau d'un séducteur qui devait compenser par son esprit et ses fariboles une situation que l'on ne pouvait juger que précaire : c'était en plein après-midi. Seuls les désœuvrés, les étudiants et les artistes ont du temps à perdre à ce moment de la journée. Je portais une rose rouge à la boutonnière. Elle conférait une touche d'excentri-cité à mes vêtements simples. Ce rouge était un signe qui me paraissait être un phare pour les vaisseaux bondés de féminité qui sillonnaient le parc ce jour-là.

Je marchais en admirant tout, prêt à m'extasier sur n'importe quelle fleur pour lier conversation avec qui que ce soit, enfin, n'importe quelle femme. Mon jeu semblait ne donner aucun résultat. Au bout d'une allée magnifique s'enfonçant sous une treille impressionnante, toute colorée de la folie schizo-phrénique des cobées, je pensais un instant abandonner mon rôle et, assez déçu tout de même, quitter ce paradis plein de femmes auxquelles je n'inspi-rais rien d'autre que de vagues sourires. Dans une alcôve de fleurs, un banc était occupé : Hilda lisait un guide touristique. Je m'assis en contemplant sa beauté nordique, blonde et souple.

Hilda est grande et belle. J'engage la conversation en lui demandant si elle est étrangère. Il faut bien commencer quelque part. «Ou-i, Nederland», me confie-t-elle. Je suis allé plusieurs fois dans le plat pays et je lui sers un laïus en règle sur la beauté de ces horizons qui n'en finissent pas, sur la sympathie naturelle des Hollandais que d'aucuns jugent froids – à tort –, sur les moulins et, ne sachant plus quoi dire à la fin, sur les fromages, qui valent bien ceux de la France. Tant qu'à être de mauvaise foi, autant y aller carrément. Elle m'écoute sans dire un mot. Le flot de ses cheveux est un champ de blé mûr, son corps est drapé dans une robe légère, son jeune visage éblouirait un aveugle. Je suis prêt à piquer le cent mètres de la séduction pour mes jeux olympiques personnels.

«Je… pas… français… parler…» Une demi-heure que je courais à fond. On ne peut pas dire que ce soit une rapide. Elle m'offre son identité et l'adresse de son hôtel comme dédommagement. Ce n'est pas si mal. Pris dans mon rôle de séducteur enragé, je ne me laisse pas rebuter par la barrière de la langue. Je fais des gestes, je bredouille un peu d'allemand et d'anglais, je me fais comprendre et nous passons un bon moment ensemble. Puis je l'accompagne parce qu'elle souhaite rentrer à son hôtel.

Je ne saisis pas vraiment si ma présence lui est agréable, mais je crois que oui. Elle continue à faire attention à moi. Nous arrivons devant l'hôtel, j'hésite. Pas elle. Elle me prend la main et m'entraîne dans l'escalier. Parvenus devant la porte de sa chambre, j'ai un scrupule : que ferait un véritable séducteur dans cette situation? Il me semble qu'il ne se laisserait pas conduire ainsi, comme un petit chien bien dressé. Alors j'embrasse Hilda langoureusement et elle n'en paraît pas choquée. Elle ouvre sa porte et, dans la douce chaleur de la fin d'après-midi, nous nous livrons l'un à l'autre. Elle, la belle étrangère, à un petit gars de chez nous, sympathique et aimable; moi, en dragueur, à une bombe sexuelle comme en présentent les revues spécialisées. Contrairement aux apparences, j'ai de la difficulté à maintenir mon rôle de séducteur de choc. Il me faut faire de nombreux efforts pour ne pas être débordé par la situation. Mon personnage a sa fierté. Je ne peux pas abandonner son identité sans détruire le charme de ces instants. Mais c'est un travail difficile et une grande partie de mon plaisir s'évanouit malheureusement dans cette volonté de rester moi-même, c'est-à-dire ce personnage que j'ai choisi.

En partant, j'étais heureux. Le héros d'un film n'aurait pas fait mieux. La séquence de la jeune et belle Hollandaise séduite par un inconnu aurait été une fameuse réussite.

C'est étrange mais, depuis notre rupture, je n'ai plus éprouvé ce sentiment de réussite intense qui vous donne l'impression de vivre quelque chose d'important. Hilda venait de trouver du travail dans une entreprise, Login-Informatique : ils y parlaient tous anglais, ce qui lui convenait parfaitement. Les difficultés que je rencontrais quotidiennement ne retenaient pas toute mon attention à l'époque. Alors qu'à présent je me laisse déborder par des événements insignifiants, par de minuscules choses qui envahissent mon esprit en dévastant toutes les belles constructions que j'imagine pour mon avenir. Riche, je le suis, mais je pourrais souhaiter l'être beaucoup plus, comme les gens qui ont réussi. L'idée me plaît, je me dis que je serais heureux de courir après un but concret et précis, mais l'envie me manque.

Le soleil traverse les portes vitrées qui donnent sur la terrasse avec une douceur apaisante. Pourquoi me tourmenter? Le livre que j'ai commencé exerce un charme intransigeant sur mes rêveries. Ses personnages sont fascinants. Et leur monde, si on ne peut lui conférer qu'une existence assez ténue, n'en est pas moins riche de tous ces désirs un peu fous dont on ne se passe jamais sans éprouver un profond malaise. Oui, je l'aime, cette Clarisse. Elle est folle, elle paraît insupportable, mais jamais je n'ai rencontré une femme qui m'ait fait ressentir ces sentiments emportés et trop brillants pour être vrais qui donneraient à mon esprit l'envie débordante de plonger dans l'abîme pour m'en approcher, même de loin, une fois, et apercevoir sa silhouette s'évanouir avec la lumière du soleil. Cette femme n'existe pas.

Je vais me servir un verre de whisky pour me changer les idées. Un vieil écossais, il n'y a rien de tel. Je ne dois pas trop boire cet après-midi. Jacques m'attend à vingt heures dans un restaurant italien. Si je veux manger mes pâtes fraîches sans haut-le-cœur, je dois savoir me tenir.

Un deuxième verre va me calmer. L'alcool est une drogue dure. Une fois passée la frontière, plus rien ne retient les voyageurs, qui peuvent entamer leur visite en toute liberté. Chacun suit le parcours qu'il désire. Chacun aura le voyage qu'il mérite.

Je pense que la mer a beaucoup compté dans mes vacances d'enfant. Grâce à elle, on fait des rencontres et on vit des histoires dont le souvenir imprègne les pensées de saveurs incomparables. Cette petite fille de la plage, je ne l'ai pas oubliée. J'étais très partagé quant à l'attitude à adopter à son égard. D'abord elle soulevait en moi de véritables incendies d'interrogations que je ne pouvais éteindre d'aucune façon, la nature de leurs flammes m'étant inconnue. Je découvrais au plus profond de mon esprit des domaines inexplorés dont je n'avais jamais soupçonné l'existence. Des temples biscornus, des déserts d'attente, des cieux que ne visitaient ni la pluie ni le beau temps, mais destinés à attirer dans leurs espaces quiconque les contemplerait.

Je n'en ressentais pas moins une violente attirance pour celle qui m'ouvrait à ces horizons. Est-ce la nouveauté qui nous attire irrésistiblement? Ou un autre sentiment prend-il position en nous comme en une forteresse mal gardée? Est-ce un germe de ce qui deviendra plus tard le sentiment amoureux dont on devine la présence au fond de cet être maigrichon, grillé par le soleil, et à l'intellect aussi développé que celui des papillons avec lesquels il s'amuse?

Pourquoi ne pas envisager le pire? Placé devant ce tableau enchanteur de deux enfants s'initiant avec maladresse à ce qui deviendra leurs sautes d'humeur, leurs caprices insupportables, leurs violences de tyrans corrompus, leurs malaises d'âmes souffrantes, leurs élans piteux vers le bien, ou vers le mal, on pourrait se demander si un sentiment d'une nature surprenante ne se dissimule pas. Un effort. Il faut aller en sens inverse, se rapprocher de ce qui peut être le plus terrifiant dans les jeunes têtes, une chose que nous avions déjà découverte, mais dont nous n'avions pu nous douter qu'elle viendrait ici, dans ces moments de joie si intenses, s'insinuer, se répandre, et broyer le tout du monde sous sa botte implacable. Ce sentiment, dont, lors d'un dîner en famille, loin de la plage, un soir, le masque tomba avec la force d'un coup d'épée dont le fil tranche net, n'est-ce pas l'angoisse?

J'étais incapable d'arrêter la course de mes émotions pour adopter une attitude qui m'aidât à retrouver mon équilibre. Car cet être à cause duquel je pressais mes parents à l'heure sainte du départ à la plage, il m'était parfois odieux. Nous nous installions avec tout notre équipement, je la voyais et, soudain, je n'en voulais plus. Je demandais à ma mère de m'accompagner chez le marchand de glaces, je harcelais mon père afin qu'il gonfle sur-le-champ ce matelas pneumatique sans lequel ma vie n'avait tout à coup plus de sens. Je devenais un poids inconfortable pour mes géniteurs. Il fallait que je les provoque et qu'ils sortent de leurs gonds. Ce n'était plus possible de m'amuser seul et je ne voulais pas aller la voir. Des personnes devaient pâtir dans ces moments-là de l'inconfort intérieur qui était mon unique refuge contre la solitude.

Le whisky est bien le meilleur passeport vers les souvenirs. Avec Hilda, je buvais rarement. Un peu de vin à table, et un peu trop de champagne ce dernier Noël. Elle ne recherchait pas les excès dans ce domaine. D'ailleurs, je la comprends. Je n'ai pas toujours l'alcool gai, ni calme. Et ma Hollandaise de bombe sexuelle n'était pas faite pour maintenir mon esprit au repos. Si je peux vous conseiller une expérience, promenez-vous dans une rue animée en compagnie de Hilda. Vous devenez soudain le centre d'une attention toute particulière. Beaucoup d'hommes, et quelques femmes, lui jettent des regards donnant l'impression qu'ils ont découvert un trésor au coin de la rue. À ses côtés, j'observais des réactions étonnantes.

Certains parfois se figeaient dans une stupeur inquiétante. Une seconde auparavant, ils étaient pris dans une action tout à fait habituelle, mais les apparences n'étaient plus à même de couvrir une certaine vérité de leur espace intime. Un ébranlement avait eu lieu. La profondeur du choc était insondable. Dans la couleur de ces iris venaient d'apparaître des arcs-en-ciel bouleversants de souvenirs. Je m'amusais à percer à jour les vieux désirs et les anciens malaises dont la réminiscence pétrifiait leurs victimes. Dans ces instants, j'appréciais la présence du météore hollandais. Je n'étais pas jaloux. Je jouissais, derrière un masque imperturbable de souverain, du précieux attribut dont j'étais le possesseur attitré.

Les choses n'allèrent pas toujours aussi bien. Hilda me parlait de ses relations avec le patron de l'entreprise où elle travaillait. La situation m'irritait. Cet homme avait la vue basse et ne se gênait pas pour le montrer. De plus, il était le patron. Et je n'avais toujours pas révélé à Hilda que j'étais riche, laissant planer un clair-obscur teinté de romantisme sur mes moyens de subsistance. La situation me sembla devenir dangereuse. Un soir je la retrouvai en pleurs. Son patron lui avait proposé de la raccompagner et en avait profité pour lui faire des avances assez explicites dans sa voiture de sport. Elle ne savait comment réagir. Il était plutôt bel homme à ce que je crus deviner, et Hilda me fit comprendre qu'il lui était impossible de perdre son emploi. Je ne savais que faire. Mon indécision se nourrissait du bien-être que j'éprouvais dans cette liaison. Je voulais en profiter au maximum.

Ce n'est qu'une semaine plus tard que je me réveillai, poussé par les événements à une réaction impulsive vers laquelle je m'étais moi-même laissé entraîner. Devrais-je à présent regretter cet épisode lamentable de mon existence? Ce n'est pas dans mes habitudes et pourtant, quand je m'emporte contre mes domestiques, quand la pluie trop abondante me fait fuir précipitamment pour rejoindre un asile doré dans les pays du Sud, je remarque qu'un nuage de remords se forme autour de moi pour me menacer d'asphyxie. Je tente alors de mettre un frein aux ravages causés par mon caractère et je regagne, penaud mais heureux, le monde mélancolique et gris du train-train de la capitale. Je n'en suis pas toujours capable.

J'admire l'héroïne de ce roman, Clarisse. Elle est tourmentée, mais on sent en elle une force de caractère incroyable. Pouvons-nous espérer acquérir cette fermeté que l'on sent dans les personnages des livres que nous lisons? C'est de la fiction, bien sûr. On voit bien ce que ça veut dire : leurs mondes nous sont inaccessibles. Car ces héros sont faits de langage, et pas nous! Encore heureux. Tiens, je vais me resservir un verre. Il me faut un remontant. L'alcool guérit tous les maux. J'ai une de ces caves! Il y a de quoi se soûler pendant des siècles là-dedans. Et pas une bouteille qui ne soit exceptionnelle. Chacune distille dans le palais des arômes d'une finesse incomparable. Et puis, il n'y a pas à dire, mais plus les alcools sont chers, et plus ils soûlent. Il faut se méfier. L'alcoolisme nous guette du coin de son œil pervers. Attention, ne pas conduire, ne pas se balader dans la rue quand les crises se manifestent. Il vaut mieux être discret et ne pas se faire remarquer, si vous voyez ce que je veux dire. C'est légal, d'accord, mais autant ne pas trop montrer son attachement pour ce genre de chose, sans quoi on va vous juger, et mal : de premier de la classe, vous allez passer dernier. Les gens ne vous feront plus confiance, les affaires vont se casser la figure. Attention! La vigilance, dans mon métier, est une règle d'or.

Enfin, aujourd'hui, c'est le jour des souvenirs. J'espère que Jacques ne sera pas dans le même état d'esprit tout à l'heure. Sinon ça va mal finir. Et lui, il s'en contrefout que ça finisse bien ou mal. Il n'a pas de situation à préserver. Nous allons nous retrouver dans la cave à cuver comme des bienheureux. J'en ris d'avance. Sacré Jacques. On a du bon temps ensemble.

Certains événements nous demeurent incompréhensibles. Je veux dire par là que, dans des situations bien particulières, les gens font des actions que nous ne pouvons ramener à nos univers communs. Sur la plage, la petite fille vint me voir un jour. Le soleil était là. Nous sommes allés nous baigner avec des bouées qui avaient des formes animales, canard pour moi et cygne pour elle. Je m'amusais comme un fou, tout en sentant que ma compagne était gênée. Elle avait une idée derrière la tête, et ne pouvait pas m'en faire part tout de suite. Ça allait venir, je le savais, sans pour autant prendre moins de plaisir à jouer en sa compagnie.

Il me semblait qu'une ombre de mécontentement surgissait dans des interstices infimes, au détour d'une bousculade pour ramasser un coquillage. Rien de vraiment tangible n'apparaissait et je laissais traîner mes appréhensions dans un coin, comme mon sac de plage que, dans la villa louée, je ne retrouvais jamais sans faire de pénibles recherches, à la demande expresse de mes parents, alors qu'il trônait, bien entendu, sous mon nez.

Ses parents à elle avaient fini par faire connaissance avec les miens. Ils avaient en commun tout ce qui peut vous permettre de vous rencontrer en été à cet endroit précis, et qui plus est, dans cette partie infime de l'immense étendue de sable offerte aux congés payés. Cependant, si cette harmonie parentale était censée être le reflet exact des relations qui nous unissaient, il s'avérait que l'image des deux enfants qui, dans une sorte d'état de nature, franchissaient sans peur les barrières dressées par les conventions sociales, avec cette ingénuité et cette impudeur qui font tant sourire, n'était en fait qu'un fantasme d'adultes : avec les années, l'enfance devient peu à peu ce paradis constellé de fleurs et de joyaux habité jadis mais qui, à présent, après le carnage du temps, n'est plus qu'un espace organisé dans lequel on croise des engins motorisés et des lotissements aussi propres qu'ennuyeux.

Ces journées entières passées dans ce que nos parents percevaient comme le bonheur le plus simple et pourtant le plus intense devinrent pour moi de plus en plus difficiles à supporter. Ce voile de trouble que j'avais perçu semblait non pas s'étendre, mais atteindre une consistance critique, comme une portion de matière déterminée qui s'apprête à s'effondrer sur elle-même pour donner naissance à un trou noir.

Et même, à mesure que je sentais ce sentiment gagner en intensité, l'entrain que je manifestais à jouer en compagnie de ma voisine prenait des proportions démesurées. Je côtoyais le danger sans vouloir le reconnaître, avec une frustration comparable à celle du spectateur d'un film dont le héros ignore qu'on lui a tendu un piège, et qui s'en va rejoindre son héroïne avec insouciance. Mon comportement à l'égard de la petite fille épousa l'apparence et les tourments de l'adoration.

J'en arrivai à un point où je ne pouvais plus rien faire sans elle. Seul, je demeurais désemparé, la tête vide et l'humeur bougonne. L'arrivée sur la plage voyait des déferlements d'allégresse se déverser en bloc sur les après-midi.

Quelque chose se trouvait là, juste derrière nos jeux, et cette chose d'une valeur inestimable, je la désirais de toutes mes forces. Elle savait comment l'obtenir. Je voulais, en me mettant à son école, et comme sous sa tutelle, en prendre possession.

Ô! les tourments de l'enfance. Ô! ces infinis besoins, ces poussées irrésistibles!

Un jour enfin, à mon profond désarroi, j'accédai aux saintes révélations. Elle portait un maillot de bain bleu rayé de blanc. Son sourire dont j'avais deviné la duplicité me transperçait de ses foudres. «Pourquoi?» lui demandai-je, piteux, mais décidé à connaître la vérité. Elle feignit de ne pas comprendre ma question laconique. Puis une altération étrange apparut sur ses traits par où surgit un peu de l'autre monde. Elle ne pouvait plus tricher. Il fallait qu'elle parle, sans quoi, elle le sentit, la crise risquait d'être définitive.

La vérité toute nue me parvint : «Moi je le sais, je l'ai lu dans un livre, les garçons qui ont des maillots rouges, c'est les plus bêtes!»

Dans un geste de protection inutile, je portai machinalement les mains à mon unique et dérisoire vêtement, dont la couleur venait de m'exiler dans la patrie furieuse de la race des maudits.

En haut de ma maison, je me suis fait plaisir. Il s'y trouvait une petite rotonde dont le toit pouvait s'ouvrir et laisser le champ libre à un télescope. Le précédent propriétaire était féru d'astronomie. J'ai préservé cette pièce pittoresque, mais je l'ai fait surélever pour y installer une verrière qui en fait le tour. L'effet est saisissant. On met de la musique, on se sert un verre, et on a une vue sur le parc et les quartiers avoisinants. On acquiert ainsi le sentiment de dominer la ville, dans tous les sens du terme. Ici je peux méditer et me répéter que l'histoire de la petite fille de mon enfance est stupide. Mon incapacité à la chasser de mon esprit m'agace au plus haut degré. Mon ascension vers les sommets de la société aurait dû faire disparaître, comme une industrie en se développant laisse derrière elle les petits problèmes de sa croissance, ces moments pénibles de mon passé : ils ne sont plus rien à présent. Cette idiote est probablement mariée à un médecin de campagne à l'heure qu'il est et elle doit mener sa petite vie pleine de soumission et de névrose en ayant tout oublié. Pourtant elle demeure bien vivante en moi. L'alcool l'aide à survivre en tant que souvenir. Il faut que j'arrête de boire pour tuer cette garce.

Mais au fond, la honte la plus intense que j'ai pu ressentir, n'est-elle pas dans cette affaire lamentable qui vient de se terminer de la pire manière? Hilda avait soudainement cessé de se plaindre de son patron. Je l'interrogeai à ce sujet : «Il… arrêter…», me répondit-elle en affectant de ne pas y attacher la moindre importance. Je m'emportai. Je voulus la vérité. Qu'avait-elle fait pour qu'il se tienne tranquille? Mon imagination enflammée s'égarait dans les scénarios les plus odieux. Qu'elle me le dise à la fin! Elle mentait, c'était évident. Et moi, il allait falloir tout me dire, sinon moi partir, fini, *kaput*.

Hilda était catastrophée de me voir dans un état pareil. Elle tenta de se réfugier dans ses sanglots, mais je continuai de la harceler sans trêve. Je n'allais tout de même pas risquer d'être cocufié par un vulgaire patron sans envergure et continuer à fréquenter cette immigrée dans le même temps! Elle finit par avouer : non, son patron n'avait pas abandonné la partie. C'est elle qui avait laissé tomber certaines de ses défenses. Elle le laissait lui appliquer sa grosse paluche sur les fesses en feignant de ne rien remarquer.

C'est tout? ai-je failli lui répondre. Au lieu de cela je la poussai dans ses derniers retranchements. Et je fis bien. Ce rustre avait réussi à la convaincre d'accepter une invitation à dîner en tête-à-tête, chez lui. Elle avait prétendu que ce soir-là, c'est-à-dire le mardi suivant, elle devait rendre visite à l'un de ses oncles de passage dans la capitale. J'entrai en transe. J'exultais littéralement. Je mis le paquet. C'était trop fort. Me faire ça à moi! Aller se faire enfourcher par un vieux beau en me faisant croire à une histoire de famille! Me mentir à moi! Je rêve!

Dans des moments pareils, on ne sait plus vraiment ce que l'on fait. En ce qui me concerne, je pris la résolution d'aller trouver le vieux con et de lui dire son fait. Hilda fut paniquée par cette idée. Elle refusa de me donner l'adresse de son entreprise, que j'ignorais. Puis elle se calma subitement et se mit à ranger des affaires qui traînaient. En fait, elle ramassa tous les papiers qui auraient pu me permettre d'obtenir la fameuse adresse, enfila son manteau avant que j'aie eu le temps de faire un geste, et disparut en affirmant qu'elle m'aimait, mais que ce soir elle irait dormir à l'hôtel. Et qu'elle me rappellerait, demain.

J'avais l'air malin. Encore tout excité par cette scène d'une féroce intensité, je décrochai le téléphone. J'obtins l'adresse de Logic-Informatique en moins de trente secondes. Il ne m'en fallait pas plus. Je passai une mauvaise nuit, pour finalement me lancer dans une improvisation totale.

Le lendemain matin, j'arrivai à neuf heures devant les locaux de la petite entreprise. La secrétaire me conduisit immédiatement vers le bureau du patron. Je ne vis Hilda nulle part. Peut-être avait-elle décidé de quitter cet endroit sordide? La porte s'ouvrit sur une pièce quelconque, un grand bureau encombré, des casiers débordant de dossiers, deux ordinateurs. L'homme assis me regarda sans paraître dérangé. J'étais à peu près calme, seule la pâleur de mon visage aurait pu le renseigner sur mon état intérieur. Je me lançai :

— Je viens vous parler de Hilda, monsieur.

— Hilda?

— Oui, votre secrétaire.

Il voulait me faire croire qu'il ne la connaissait pas. Je lui dis qu'elle avait eu beau le prévenir que je viendrais, je n'allais tout de même pas me laisser avoir comme ça.

— Vous êtes un sacré malin, lui dis-je en serrant les poings. Et si je vous disais que je vais racheter votre boîte minable pour avoir le plaisir de vous mettre dehors, vous et vos sales habitudes d'obsédé sexuel!

Il protestait. Qui étais-je d'abord pour venir le menacer sans raison? Il ne connaissait pas de Hilda et ne comprenait pas mon agressivité. Je lui dis mon nom, énumérai la liste de quelques-unes des entreprises de mon portefeuille d'actions, et lui répétai que s'il continuait à se foutre de ma gueule, j'allais en prime lui mettre mon poing sur la sienne de gueule. Je l'empoignai par la veste.

— Savez-vous, lui dis-je, ce que peut représenter votre boîte pourrie pour moi? À peu près rien : Login-Informatique, ce n'est rien!

Je hurlais à ce moment-là comme rarement j'ai pu le faire dans ma vie. J'expulsais un trop-plein de quelque chose qui n'avait plus rien à voir avec le pauvre type sur lequel je me défoulais. Tant pis, on n'a pas souvent l'occasion de se lâcher.

À ma grande surprise, il changea d'attitude, reprenant ce faciès ahuri et voué à l'innocence qu'il avait adopté au début de notre entretien.

— Mais enfin, affirma-t-il avec une teinte de colère dans la voix qui me sur-
prit, vous n'êtes pas chez Login-Informatique, mais chez Logic-Informatique. Ça
va bien à la fin, lâchez-moi, votre Hilda n'est pas ici, mais à deux cents mètres
d'ici.

Que peut-on éprouver de plus fort dans son existence que ces courants
incontrôlables qui agissent en nous et devant lesquels nous ne sommes rien?
Je quittai cet endroit comme un fantôme, ayant perdu tout désir de vengeance
et de mort. J'étais vidé.

Hilda m'appela à midi. Je lui donnai rendez-vous le soir même. Dans le
meilleur restaurant de la ville, je lui avouai tout. Ma réelle identité et l'état de
mes finances. Ce sont des éléments capitaux dans certaines situations. Puis je
lui annonçai que notre relation ne pouvait plus durer et que, elle allait bien le
comprendre, je lui offrais ce soir des adieux en grande pompe ainsi qu'une
proposition, qu'elle reçut avec enthousiasme.

Il faut que je me dépêche si je ne veux pas arriver en retard à mon rendez-
vous avec Jacques. Mes affaires sont en ordre. Il ne me reste qu'à prévenir mes
domestiques. La bonne répond à mon appel presque instantanément. C'est
bien cette charmante jeune femme que je préfère.

— Monsieure… appelère… mo-a?

— Oui, Hilda, je risque de rentrer vers vingt-trois heures avec mon ami
Jacques, vous nous préparerez les alcools au salon.

— Bonne souare… monsieure.

Hauts et bas

Il roule à faible allure dans l'allée de platanes. La voiture patine légèrement. Le gravier fait des remous comme une grève humide. La Jaguar est un
modèle coupé sport d'une trentaine d'années et d'une couleur marron foncé.
Elle est laide, mais l'œil de certains collectionneurs s'allume à sa vue. Il faut
sans doute demeurer attaché à une période révolue de son existence avec une
force exceptionnelle pour repousser les canons de la beauté et s'exposer,
volontairement et presque avec fierté, dans un véhicule couleur merde-de-
chien alors que la mode n'a pas retenu ce coloris.

Heureusement, le véhicule est dans une forme splendide. Ses sièges de
cuir beige et ses boiseries précieuses lui confèrent le luxe et le confort qui font
taire les mauvaises langues. Le conducteur effectue de petits virages, percutant
en douceur et éventrant les vallées de cailloux creusées par les roues des nombreuses voitures qui ont pris l'allée depuis quelques heures.

Deux rangées de torches donnent le sentiment de faire son entrée sur une
piste d'atterrissage pour avions de grandes lignes. Un homme apparaît dans les
phares de la Jaguar. C'est le vieux chauffeur de la maison. Il fait signe de ralentir. Il affirme qu'il doit monter dans la voiture pour aller jusqu'à la maison et

qu'ensuite il reviendra la garer ici, à la place cent vingt-trois indiquée sur ce petit panneau, à côté des torches.

Le conducteur allume une cigarette et en propose une au passager. Celui-ci dit que la moitié des invités sont arrivés. Il accepte d'ouvrir la boîte à gants pour en sortir une flasque d'alcool, en avaler une gorgée et la tendre au propriétaire du véhicule qui vient de stopper devant la terrasse de la maison. Ce dernier laisse ses clefs au vieux chauffeur et sort. Il sait que le chauffeur conduit à la perfection et ne lui donne aucune recommandation sur la sensibilité de la boîte de vitesses, lui adressant plutôt un sourire complice.

Il fume sa cigarette sur la terrasse en regardant sa voiture s'éloigner. Un vent vient contraindre les volutes de sa fumée à se rabattre vers le sol au lieu de s'élever en spirales bleutées. Un hélicoptère négocie sa descente vers le parterre de projecteurs. Le pilote pose son appareil avec une délicatesse de plume d'oreiller. Il reconnaît le couple qui descend et se dirige vers la maison.

Une heure plus tôt, il ne savait pas encore s'il avait envie de sortir. Il a répondu à quatre appels téléphoniques d'amis ou de relations qui, excités à l'idée de la soirée, voulaient obtenir quelques potins scandaleux à se révéler les uns aux autres. Il n'a pas répondu aux appels suivants, laissant les sonneries buter sur son répondeur. C'est son meilleur ami qui organise la soirée. Il passe un smoking sans manifester plus de précipitation ou de lassitude qu'il n'en concéderait à une série de gestes habituels. Son absence donnerait lieu à autant de commentaires que sa présence. Pendant qu'il se parfume dans la salle de bains, son téléphone sonne et sa voix déclare qu'il ne peut pas répondre.

Son correspondant dit qu'il sait très bien qu'il n'est pas absent. Il souhaite lui annoncer qu'il est très heureux parce qu'elle l'a contacté pour confirmer sa présence ce soir. Il semble impatient de le voir afin de partager cette joie qui embaume ses paroles pour se répandre à travers les pièces de la maison, jusque dans la salle de bains.

Il s'est arrêté de bouger quand il a reconnu la voix de son ami. Son image dans le miroir a pris une profondeur qu'elle n'avait pas une seconde auparavant. Elle s'est comme réveillée tout à coup. Il la détaille avec précision, comme vous pouvez le faire avec un tableau dont vous voulez comprendre pourquoi il vous émeut avec tant de force. Il y trouve des détails qu'il juge beaux et intéressants. À mesure que son ami lui a livré les raisons de son appel, il a pu quitter ces détails pour découvrir des formes et des intentions plus étonnantes : ceci vous paraît nouveau par rapport à la dernière fois et, sans vous bouleverser, déclenche votre curiosité et votre appréhension; cela, par contre, vous le connaissiez déjà. C'est triste, mais ces parties du tableau ont toujours été semblables et ne vous ont jamais plu. Vous allez jusqu'à vous demander ce qui peut pousser le public à venir en grand nombre admirer cette toile. Là se trouve une zone d'ombre dont vous ne pouvez préciser la forme et le sens. Le mystère est complet, mais il faut bien s'accommoder de cet inconnu qui pourrait bien vous ressembler tout de même.

Il a fini de se préparer, machinalement. Des dix-neuf messages enregistrés sur son répondeur, le seul à avoir suscité une modification remarquable de son comportement est celui qui lui a appris qu'elle serait là. Il ouvre la porte qui donne sur son garage, puis la portière de sa Jaguar, et commande l'ouverture et la fermeture de la porte qui lui permet de gagner la rue. Au premier feu rouge qu'il rencontre, il tend le bras vers la flasque de whisky posée sur le siège du mort, y boit une longue rasade, et la range dans la boîte à gants. Il allume ensuite une cigarette sur les paroles belles et tristes d'une chanson que Billie Holiday offre à ses semblables.

De la terrasse, il se dirige vers une porte-fenêtre qui donne sur un grand salon. Des gens l'interpellent et lui aussi lance des salutations et des bons mots. Il passe la porte et pénètre dans la foule. Près de l'un des buffets, il voit son ami, le maître des lieux. Il est plongé dans une discussion avec elle. Ils semblent s'amuser et demeurent dans un isolement relatif.

Il va à leur rencontre. «Ah! Jacques! Nina et moi nous demandions quand tu allais arriver.» Il sourit et déclare que l'attente ne fait qu'augmenter le plaisir, quelle que soit la situation. Cette allusion à l'univers du sexe n'est pas étrangère aux pensées qui les habitent. Ils rient tous les trois. Jacques observe leurs réactions. Son ami a le corps pris de petites convulsions qu'il ne semble pas pouvoir – ni vouloir – contrôler. Il se laisse déborder par la surprise qui l'a saisi quand cette phrase a rejoint le contenu de ces pensées qui nous occupent, mais que personne ne songerait à étaler au grand jour.

Nina réagit d'une tout autre manière. Son corps bouge aussi, mais elle en contrôle les mouvements. Ses yeux notamment demeurent fixés sur son voisin. Elle ne paraît pas porter de mépris à cet être qui s'ébaudit de l'érotisme venu teinter une blague. On peut cependant s'interroger sur la distance qu'elle a marquée vis-à-vis de ce voisin par ses sourcils produisant des plis trop petits sur la peau qui les environne, malgré l'intensité des rires qu'elle laisse s'exprimer par sa bouche.

Les traits de Jacques se déforment soudain pour chasser ce témoignage des sentences qui résonnent en lui, car Nina tourne subitement la tête dans sa direction. Elle le fixe comme pour lui exposer un autre discours, silencieux celui-là. Il ressent durement les assauts de ce regard qui vient vérifier s'il a su répondre correctement aux sentiments de ses deux interlocuteurs sans pour autant les partager, en suscitant un mirage de lui-même. Nina perçoit-elle sa méfiance? Elle s'éloigne en promettant, d'un sourire tout aussi faux que le reste, de revenir sous peu.

Les deux hommes se trouvent face à face. Au milieu de la foule des invités, leur silence se remplit des deux verres d'alcool qu'ils vident d'un trait. Ils se retournent vers le buffet pour choisir des canapés et des boissons. Jacques demande si tout se passe comme prévu. Son compagnon lui répond que Nina est une personne vraiment charmante, qu'il a rarement rencontré une femme si intelligente, et il se demande si cette soirée ne manque pas d'intellectuels et d'artistes pour être parfaite.

Jacques paraît très étonné. Son ami s'inquiète pour des pacotilles, et il sent que Nina est au centre de ses préoccupations. Il comptait lui faire part de ses inquiétudes à son sujet, de son comportement hautain et dédaigneux, et des raisons – au fond – de sa présence ici. Elle lui apparaît si étrangère à son monde qu'une vague de dégoût remonte le long de sa gorge. Un sentiment de solitude angoissant le saisit. Il ne comprend plus ce qui peut le lier à ces gens qui l'entourent, à cette fête aussi bête qu'insensée. Qui sont-ils? Pourquoi de nombreux convives se sont-ils si vivement inquiétés de sa venue alors qu'à lui il importait peu de participer à leurs stupides déambulations? S'il a soif, ce n'est pas d'alcool, mais d'autre chose.

Il sent qu'une barrière s'est installée au-delà de laquelle les réflexions de son ami paraissent vides. Son hôte enchaîne d'ailleurs une guirlande de phrases maladroites qui l'enlaidissent encore : il trouve que Jacques n'a pas l'air dans son assiette, lui demande pourquoi, est-ce à cause de Nina, a-t-il des vues sur elle, si oui, bien sûr, il ne cherchera pas à aller plus loin; pour la séduire, il a absolument besoin de l'aval de son ami. Jacques ne sait que répondre. Il est atterré. Il n'a aucun droit sur cette femme et, quand bien même il en aurait, jugeant que son inconstance la classerait parmi celles qu'il méprise, il l'abandonne avec rancœur. «Tu es libre de faire ce que tu veux, mon vieux!» L'autre paraît rassuré.

Jacques rit. Nina les rejoint. Il s'éloigne pour répondre à l'appel de trois femmes superbes. Il les salue en passant puis sort du salon, traverse le hall d'entrée et se dirige vers la porte, proche des cuisines, qui conduit à la cave.

Jacques a besoin d'être seul un instant, et les sous-sols de la maison lui paraissent le meilleur refuge contre ses propres démons. Parvenu en bas de l'escalier en pierre, il compose un code sur la serrure électronique de la porte en chêne. Les deux battants s'ouvrent d'eux-mêmes, lentement, d'un mouvement solennel. L'intensité des petites lumières qui éclairent l'allée centrale augmente. Une douzaine de salles jalonnent l'espace souterrain. Il avance. Les vins et tous les alcools sont classés, et certaines bouteilles donnent le vertige aux visiteurs. Jacques est habitué à cet endroit et se contente de jeter des regards amusés sur les merveilles qui l'environnent. Il se dirige vers le milieu de la longue allée aux voûtes de pierre. Sur la gauche, une cabine en verre de cinq mètres sur six renferme des fauteuils profonds et tout ce qui est indispensable à la dégustation. Elle est nécessaire : la température idéale pour le vieillissement du vin est trop basse pour s'installer dans la cave; celle de ce petit salon, plus élevée, garantit le confort et la proximité des bouteilles.

Les lampes du salon sont allumées. Jacques s'arrête avant de franchir la limite au-delà de laquelle la personne présente dans la cabine, si quelqu'un s'y trouve, pourra le voir. Jacques ne connaît aucun autre proche du propriétaire ayant librement accès à cet endroit. Il essaie de se faire aussi silencieux que possible, s'approche et jette un œil. Une personne se trouve effectivement installée dans un fauteuil. Un verre de vin rouge est posé sur une table, à portée de main. Jacques avance la tête pour distinguer la scène plus en détail. La bouteille ouverte est un Château-Pétrus 1940. La personne semble être une femme. Elle est assise de dos et paraît dormir.

La femme dort en émettant de petits ronflements. C'est Marguerite, la vieille bonne de la maison. Il sourit. La bouteille est vide. Jacques l'appelle doucement. Elle ne réagit pas. Il se dirige vers un petit bar en acajou où se trouvent des alcools de consommation courante. Une vodka polonaise retient son attention. Il prend son temps pour se préparer un bloody mary bien tassé. Quand il actionne la machine à glace pilée, Marguerite se réveille.

Elle se lève et manifeste immédiatement une panique inquiétante. Elle parle sans discontinuer. Son patron lui a ouvert la porte cet après-midi afin qu'elle fasse le ménage après la soirée qu'il a passée, avec Jacques, dans la cave. Mais le patron n'est pas revenu la chercher. Elle a paniqué. Après dix heures passées seule dans la cave, elle a cru à un piège. Elle sait qu'elle est âgée et que l'on préfère les jeunes, mais ce n'est pas une raison pour la laisser mourir dans une cave. Elle a pris une bouteille de l'année de sa naissance : elle a choisi de se soûler pour ne pas voir la mort arriver.

Jacques ne sourit plus. Marguerite est dans un état épouvantable. Il lui parle et la rassure. Il est certain d'avoir entendu son ami parler d'elle avec beaucoup de respect et d'affection. Il faut qu'elle sorte d'ici et qu'elle aille se coucher, ça y est, c'est fini, tout va bien se passer. Jacques la prend par le bras et l'entraîne vers la sortie. Quand il entre le code électronique et que la porte s'ouvre, Marguerite, malgré son âge, s'enfuit dans l'escalier en courant.

Il laisse les portes se refermer, fait demi-tour et va s'installer dans le salon pour boire son verre et être enfin seul. Qu'est-ce qui a bien pu se passer dans la tête de son ami? Comment a-t-il pu oublier cette pauvre femme dans la cave? Cette négligence ne lui ressemble pas : il a fait installer un tel dispositif pour protéger ses vins qu'il n'a pas pu enfermer volontairement Marguerite dans le cellier. Hier soir, ils sont venus finir la soirée ici. Ils n'ont même pas pu remonter se coucher dans un lit. Ils ont beaucoup ri et beaucoup bu. Jacques se demande si, au fond, ils ont plus bu que ri, ou l'inverse. Boire pour rire, rire parce que l'on boit ou boire parce que l'on rit?

La bonne a regroupé les verres et les bouteilles de la veille dans un panier qui se trouve posé sur le sol. Et si elle avait menti? Elle n'est pas une acharnée du boulot, ça c'est sûr. Mais de là à venir se soûler au fin fond d'une cave, et seule. Il faudrait quand même être profondément abattu pour faire une chose pareille. Marguerite n'a jamais, à sa connaissance, donné de signes de déprime. Elle est plutôt le bon sens incarné, saine et pleine de vitalité. Comment savoir? Ne passons-nous pas une grande partie de notre temps à dissimuler ce qui peut nous rabaisser? Lui, par exemple, il se rend compte soudain qu'il a exprimé à peu près l'inverse de ce qui traîne dans son esprit depuis qu'il est arrivé dans cette soirée lamentable qui l'horripile au dernier degré.

Il cherche dans sa mémoire les traces d'un souvenir qui pourrait le rassurer. Quand a-t-il dit le fond de sa pensée à quelqu'un pour la dernière fois? Sa gorge se serre. Une envie de pleurer insoutenable vient l'envahir et réduit en miettes les bastions médiocres de son assurance. Son coude droit repose sur le bras du fauteuil. D'abord, sa tête était maintenue en équilibre par son index. À présent, sa main entière est nécessaire pour soutenir son front qui n'a plus de force. Glissant sur ce front, ses doigts viennent semer le chaos dans sa chevelure. Il est paralysé. Ses yeux surtout se sont accrochés au pied droit du fauteuil qui lui fait face. Ils en sont devenus prisonniers. Il a trop peur de les déplacer. Si d'autres objets impriment leur image sur sa rétine, des idées, d'autres images, des souvenirs, des frustrations vont venir l'assaillir et le renverser définitivement. Jacques a conscience du ridicule de sa situation. Il descend d'un niveau encore dans les cercles infernaux qui l'aspirent. Son immobilité physique reproduit celle de ses pensées. Il est seul au monde. Personne ne songerait jamais à venir le soutenir, lui parler de ce qu'il désire, de toute cette merde que l'on retrouve partout. Il se trouve puéril. Mais quelle est l'idée, ou le moment de son passé, qui pourra lui faire refaire surface? Rien ne lui apparaît dans ce trou insondable qui provoque sa chute vers le néant.

Hier soir, Jacques n'était pas si seul. Ils sont arrivés vers minuit. La maison était éclairée. Une dizaine de personnes s'affairaient à préparer la soirée du lendemain. Ils étaient tous un peu tendus. L'un d'eux, la trentaine, est venu à leur rencontre pour discuter de l'emplacement du feu d'artifice et des problèmes de sécurité. À peu près tous les hommes ayant du pouvoir dans les alentours seraient présents. L'artificier les accompagna dans la maison. Il prit les numéros de téléphone de diverses personnalités : le sous-ministre de la Défense nationale et le chef de la police locale. Il n'avait à les appeler que pour régler les derniers détails, l'essentiel étant arrangé. Si, encore un détail : il faut deux pompiers supplémentaires pour le stand des urgences et des premiers soins. Il y a toujours trois ou quatre personnes qui ont des malaises. Et puis, qu'il appelle aussi le type qui s'occupe de leur fournir l'électricité suffisante pour les projecteurs et les radiateurs. Est-ce que ça pourra péter à minuit pile demain soir? Aucun souci à vous faire, monsieur, le bouquet final va être éblouissant. Ce sera magistral.

Jacques est impressionné par le sérieux de son ami. Ils ont tellement bu ce soir. L'artificier ne manifeste aucun jugement, ni bon ni mauvais, en voyant son employeur faire un faux pas ou chercher pendant cinq longues minutes un papier qu'il tire finalement, après s'être gratté la tête, une main sur la hanche, de la poche de son pantalon. L'artificier se tient dans une position de garde-à-vous civil, et l'on sent que nous sommes entre gens délicats : la commande est trop importante pour s'attacher aux faiblesses humaines. Et même, l'attitude de l'employé est si respectueuse que l'on est en droit de se demander si l'admiration qu'il ressent pour cet homme riche et puissant qui, comme lui, boit de l'alcool, mais qui n'en profite pas pour faire éclater sa rage, connaît une limite. Ce savoureux paradoxe de la force morale incarnée dans un alcoolisme profond amuse Jacques, qui donne de petites tapes amicales sur l'épaule de son ami au moment où ils traversent le hall pour se rendre à la cave.

Une fois que les portes inviolables se sont refermées, ils soufflent en chœur, puis rient de cette parodie de respectabilité qu'ils ont dû jouer. Ils prononcent des phrases comme : «Tu as vu sa tête un peu!» ou : «Ah! j'ai bien cru qu'on n'allait pas y arriver!», et ils rient de plus belle.

Jacques déclare qu'il leur faut du carburant pour s'éclaircir les idées. Ils tombent d'accord sur un Moulin-à-Vent qui a tout juste cinq ans. Deux bouteilles en main, ils vont s'installer dans les fauteuils du salon de dégustation. Jacques tire de la poche de sa veste le roman qui les passionne tous les deux et dont ils ont parlé pendant une partie de la soirée, *Clarisse aux mille visages*. L'ouverture de la première bouteille réclame une mise en scène dont Jacques se charge. Il arrête le bras de son ami, armé d'un tire-bouchon, ouvre le roman au hasard, constate que les paragraphes qu'il a sous les yeux conviennent idéalement à ce mélange de fantaisie et de réflexion dont il a soif et, prenant la pose, mais se réservant une série de contorsions et de mimiques pleines de burlesque et de rêve, il entame sa lecture :

«Ma nuit a été très agitée. Qu'est-ce qu'un rêve? La vision stupéfiante d'une scène se trouvait imprimée comme au fer rouge sur mon esprit à mon réveil. J'ai replongé dans le même délire toute la nuit. Il m'est impossible d'en comprendre l'origine et le sens. Sont-ce des souvenirs déformés qui sont venus s'agglutiner les uns aux autres pour former cet ensemble fascinant? Est-ce un cliché de ce qui m'attend? Le monde du théâtre doit parler dans ce rêve. Le rôle qui me hante de son absence vient dévaster mes nuits. Je me donne sans doute trop d'importance. Il doit y avoir un sens général, quelque chose comme une loi humaine derrière les personnages mystérieux qui me sont apparus.

Ils étaient deux, face à face comme des gladiateurs de l'Antiquité. La salle se trouve dans la pénombre. Parfois elle est si petite qu'elle gêne leurs mouvements, et l'instant d'après elle est aussi vaste que l'univers. Aucun spectateur n'assiste au combat et pourtant la présence de regards est si pesante qu'elle impose le respect de règles qui sont très complexes et très strictes. Les deux êtres n'ont pas de physionomie distincte. Ils sont différents, c'est tout. Ils ont une excellente forme physique et leur lutte, si parfois on peut la juger frivole par la grâce et la lenteur de leurs gestes, n'en est pas moins féroce et vitale.

Les gladiateurs portent des vêtements d'ombre. Leur arme est un bouclier rond de cinquante centimètres de diamètre en métal argenté dans lequel un miroir d'une eau parfaitement pure se trouve serti. Dans ces miroirs, des visages apparaissent et s'expriment avec un réalisme étonnant. Les combattants dressent tour à tour leur bouclier d'où surgissent des figures mimant la peur, la haine, l'amour, la fureur et toutes les nuances qui composent les passions humaines. Et je dois me concentrer pour suivre leurs échanges qui, comme dans un match de tennis, s'enchaînent avec de multiples options stratégiques. Des mathématiciens qui se combattraient à grands coups d'équations demanderaient tout autant d'attention. Et puis, chacun des sentiments qui apparaît sur les boucliers fait émerger en moi un fatras d'émotions que je supporte avec peine.

Assister au combat des miroirs est une épreuve.»

Jacques se tait. Son ami débouche la bouteille d'un coup sec. Ils se regardent au milieu du silence qui oscille entre la bouffonnerie et l'admiration. Ensuite, ils recommencent à boire.

On peut se demander, en se rappelant le début de leur soirée, s'ils parviendront à un moment ou à un autre à se dégoûter de l'alcool. Il semblerait que non. À vingt heures précises, Gina, la matrone de la pizzeria où ils se sont retrouvés, se posait peut-être cette question en voyant se garer la Bentley et la

Jaguar devant son établissement. Elle a demandé à son mari s'il avait pensé à sortir leur meilleur chianti. Il l'a oublié et se précipite dans la réserve. Elle lance un *stronzo* vainqueur et se dirige vers l'entrée du restaurant pour accueillir ses meilleurs clients.

Gina est heureuse de voir se garer de luxueuses voitures à ces mêmes places qu'occupe en général le tout-venant. Elle les observe avec amour à travers les deux grandes baies vitrées de sa pizzeria sur lesquelles des slogans accrocheurs ont été peints, de grands «I love Italy» et «Firenze forever». La carte de l'Italie, entourée de dessins multicolores, avec un cœur sur la ville de Florence, a été réservée à la porte, vitrée elle aussi, par laquelle l'un des fils de la patronne fait son entrée. Il s'est chargé d'empêcher les automobilistes indésirables de se garer à ces places où les véhicules des deux arrivants feront comprendre aux passants qu'ici, ce n'est pas un endroit comme un autre, qu'on y est un peu sélect, et que l'on peut y côtoyer des gens exceptionnels.

Gina regarde son fils avec tendresse. Elle relève la tête d'un petit coup sec pour le faire parler. Il sort de sa poche un billet de banque, son pourboire, avec un sourire en coin. Sa mère lui dit qu'il a beau faire le mariolle, cela ne changera rien au fait que son travail avec la famille lui rapporte bien plus que les combines de son groupe de rock. Ici au moins il est utile et il s'occupe de ses parents. Et puis il n'est pas en train de draguer ou de prendre de la drogue. Tu as beau sourire, je sais ce que je dis. Tu me remercieras plus tard. Le fils embrasse sa mère, mais oui maman.

Gina ne veut pas que la soirée des deux hommes qui s'approchent soit gâchée par quelque maladresse et elle va elle-même leur ouvrir sa porte en poussant des exclamations joyeuses et avenantes. Les deux hommes semblent satisfaits de cet accueil et répondent aux émois de la matrone par des rires et des baisemains aussi incongrus qu'appréciés. Et que pensent-ils des fresques qu'elle a fait peindre sur sa vitrine? Ah! mais elles sont splendides, en entrant ici, c'est un peu du pays que l'on retrouve. Tant mieux parce qu'au prix où je les ai payées, ce serait un malheur que les clients ne les aiment pas. Ils la rassurent et lui demandent si elle a encore des bouteilles de son fameux chianti, avant d'aller s'installer à leur table favorite, au fond de la salle, juste à côté des cuisines. Gina affirme qu'elle a beaucoup de difficulté à en trouver. Et au prix où elle le vend, c'est pire que les hosties à Pâques : ça part comme des petits pains. Mais elle va aller leur dégoter ses dernières bouteilles, bien sûr.

Ces échanges rituels comblent l'appétit d'exotisme des deux clients. Le chianti de Gina est le plus cher de la ville, et de très loin. Il faut savoir mettre le prix quand on veut s'amuser. Un bruit de bouteilles leur parvient de l'arrière-salle, suivi par un dialogue savoureux : le mari veut venir leur porter le précieux vin, mais sa femme l'abreuve d'un torrent d'insultes dénonçant sa bêtise et son étourderie. Et peu après, ils goûtent avec grand plaisir les verres que Gina leur accorde, accompagnés de son sourire.

Les deux amis ne se sont pas rencontrés depuis le réveillon de Noël, un mois auparavant. La discussion aborde rapidement les sujets qui les passionnent : les femmes et ce nouveau livre qu'ils sont en train de lire. Jacques se montre très prolixe en louanges sur cet ouvrage. Son ami partage son enthousiasme jusqu'à un certain point au-delà duquel son regard s'étonne peu à peu de cette passion si enflammée, et finit par exprimer un soupçon complice. Jacques, lui dit-il, en l'interrompant pour amener le silence où surgit l'autre discours, Jacques, tu me caches quelque chose. Ce n'est plus du bouquin que tu me parles maintenant. Comment s'appelle-t-elle?

Jacques éprouve une légère réticence à voir évoquer aussi abruptement et comme une évidence l'objet de ses pensées. Il cède néanmoins au plaisir d'être mis à nu aussi brutalement par son ami, c'est-à-dire sans risque pour son orgueil.

«Écoute, mon vieux, j'ai assisté à une vente de tableaux ce matin même. Il s'est passé de drôles de choses. Il y a eu de l'action. Un commissaire-priseur m'avait parlé d'une histoire incroyable. J'y suis allé pour voir. La toile la plus intéressante était d'un certain Paolo quelque chose. Ce n'est pas un chef-d'œuvre, mais le prix qu'a dû mettre la femme du peintre pour l'acquérir a dépassé le record du mois. Ils sont en train de divorcer et elle ne pouvait pas laisser la peinture s'envoler n'importe où. C'est du mi-figuratif, mi-abstrait. La scène représente une femme qui copule avec un chien. Ça s'appelle *Autoportrait,* et je peux t'assurer que le modèle du peintre, on l'a tous reconnu du premier coup d'œil puisqu'il était dans la salle : elle doit vraiment être dérangée pour être venue en personne. Eh oui, la future ex-femme de l'artiste se trouvait à un bout de la salle, et sa maîtresse à l'autre bout! Ce Paolo a du goût : sa nouvelle conquête est très belle, très décontractée; on se serait cru dans un de ces films à femme fatale, style Marlène Dietrich. Cette merveille s'appelle Nina. Elle est impressionnante, froide, sûre d'elle-même. Elle souriait en relançant les enchères. Il paraît que la femme de Paolo s'est complètement ruinée dans cette affaire.

Alors, tu comprends, je n'ai pas pu ne pas faire de rapprochements : cette Nina, c'est notre Clarisse aux mille visages. Si l'on avait voulu adapter le bouquin, on n'aurait pas pu faire mieux.

L'ami de Jacques n'y croit pas. C'est trop beau, une histoire pareille : qui est cette femme, peut-on la rencontrer? Ce serait trop bête de laisser passer l'occasion. La coïncidence est extraordinaire. Cette femme est une œuvre d'art ambulante. Je la veux. Je la veux. Je la veux.

Jacques embraye sans se faire prier. Bien sûr qu'il est allé la voir pour juger de près si ça valait le coup. Il n'a pas été déçu. Elle est envoûtante. Il a obtenu sa carte de visite et lui a demandé si elle était invitée à la fête de demain. Elle s'est montrée vivement intéressée et elle n'attend qu'un signe pour venir.

Gina apporte deux pizzas et une nouvelle bouteille de vin. Quelle est, à son avis, la meilleure façon d'inviter une femme? Les roses, *mamma mia*, des roses, rouges pour la passion, roses pour l'amitié, et pour le bonheur, c'est sept qu'il en faut! Mon mari, il oublie toujours que les femmes, c'est des roses : vous vous rendez pas compte, il m'a offert des tulipes pour notre anniversaire de mariage! *Ma que?* Après vingt ans, c'est pour changer qu'il m'a dit. Est-ce que j'ai envie de changer, moi? Je les lui ai jetées à la figure, ses tulipes. Et jaunes, les tulipes! Une misère! Je suis sûre qu'il a une maîtresse.

Ils se demandent si les roses ne sont pas trop classiques pour cette occasion. L'ami de Jacques appelle son jardinier, avec lequel ils se mettent à débattre tous les deux avant de tomber d'accord sur un bouquet de quarante-neuf roses multicolores accompagné de leur carte de visite et d'une invitation, à livrer le lendemain à neuf heures.

Les deux hommes rient en chœur. Jacques regarde son ami. Il sent que son récit lui a procuré beaucoup de joie. Des fossettes se creusent dans ses joues. Les petites rides naissantes, de part et d'autre de ses yeux, lui donnent cet air insouciant qu'il apprécie chez lui. Il trouve que son ami est habillé avec goût, qu'il a un visage resplendissant et que, s'il a parfois de petits moments de spleen, il ne s'en sort pas si mal. Il remplit leurs verres, et tous les deux trinquent à Nina, la femme mystérieuse et fatale dont ils veulent tout savoir.

Jacques se demande comment cette femme va réagir en les voyant côte à côte. Aura-t-elle d'emblée une préférence? Il lui a semblé lui faire une certaine impression ce matin, mais comment apprécier les réactions d'une créature capable de ruiner – par vengeance? par jeu? – la femme de son amant? Il ne fait aucun doute qu'entre eux deux Nina n'hésitera pas une seule seconde à lui préférer son ami. Elle doit lire les journaux, et Jacques n'y apparaît jamais. Et puis il a pris du poids. Non, rien ne le sauvera de cette soudaine autoflagellation morale qui vient battre les flancs de son esprit. Mais même cette aptitude, Jacques ne l'a pas; et il adhère à sa médiocrité comme un vieux pansement aux pores de la peau, laissant présager de vives douleurs, mais dont l'arrachement effraie tout autant que la présence.

Il regarde son ami avec appréhension. Oui, la femme est charmante, oui, ils vont la rencontrer, mais après? Jacques se regarde sombrer mollement dans le gouffre amer de la désillusion.

Nina a reçu les roses et s'est empressée de se rendre à la soirée. Elle apprécie grandement cette réunion de pouvoir et d'argent. Elle retrouve des personnes qu'elle connaît, en rencontre d'autres. Elle brille, elle étincelle. Son bonheur est augmenté des attentions de cet homme qui possède une telle fortune et qu'elle connaît de réputation. Il se trouve à quelques mètres, dans un groupe de vieillards auquel il accorde beaucoup de temps.

Et cet homme en discussion avec les administrateurs d'importantes entreprises voit Nina en compagnie d'un mâle jeune et beau. Les plaisanteries échangées font sourire. Un des membres du cercle demande à son hôte l'identité de cette femme magnifique. Sa robe noire offre les formes parfaites de son dos qu'elle laisse à nu. Ses cheveux sont nattés d'argent et ondoient comme un serpent sur du sable chaud. Sans grand rire ni attitude provocante, elle attire à elle les regards, lance des œillades innocentes et assassines et se refuse à toute pose qui pourrait faire penser qu'elle mise sur son corps pour séduire.

Les vieillards apprécient ce caractère de femme qu'ils devinent sous la chair ardente qui sait dominer de sa supériorité. Ils félicitent le maître des lieux, dont l'esprit vagabonde avec une fièvre bancale entre un espoir naissant et une anxiété d'amiral à qui l'on accorde la victoire avant qu'il ait engagé le combat.

L'hôte regarde Nina au loin qui s'entretient toujours avec le même homme beau et riche, coureur de jupon au palmarès d'athlète accompli. Il se dit que si ce singe dont le cerveau a été remplacé par un pénis à la naissance peut la séduire, c'est qu'elle n'est pas à la hauteur de ses attentes. Le sentiment amoureux est aussi exclusif que mégalomane et ne supporte qu'avec amertume les défaillances adverses pour lesquelles il lui est impossible de s'aveugler.

Nina, hélas, se tient à une distance très suspecte du bellâtre. Elle a des gestes qui agacent son observateur. Sa main parfois, les doigts tendus, vient se poser avec une légère cassure du poignet digne du monde du basket-ball, en plus gracieux, sur l'avant-bras du séducteur. Cette main appuie par un mouvement précis mais chaleureux la scansion des phrases que prononce Nina. Et sans entendre leur discussion, il est possible de s'imaginer le discours tenu, en arrière-plan, par ces mouvements du corps.

On pense à un balancier. Le premier élan de sa main fait s'incliner les bustes et les membres pour marquer la légère tension d'une mise en contact. Mais, au retour du bras articulé, on s'aperçoit que ces doigts tendus maintiennent une distance. Leur dialogue oscille entre une politesse avenante et une distinction de bon aloi. L'observateur attentionné de cette scène est trop ému pour porter un jugement serein et il guette la catastrophe à chaque seconde.

Il est inquiet, ne trouve plus ses mots, perd le fil des conversations qui se tissent autour de lui, renverse sa coupe de champagne par inadvertance sur son voisin qui ne cesse de l'interroger sur Nina, se confond en excuses, rit fort et, enfin, quand il aperçoit le couple se diriger vers la piste de danse, il s'effondre en frustrations intérieures. Il se sent comme un enfant que l'on a privé sans raison de son jouet favori. Pourquoi sa mère qu'il aime tant vient-elle lui arracher cet objet qu'elle lui a offert pour son anniversaire? Il pleure en émettant des gémissements longs et aigus, frappé d'immobilité sur le sol de sa chambre. Qui appeler au secours quand la réserve d'espoir à laquelle on s'est toujours abreuvé est vide?

Ce petit enfant pense à l'adulte fort et riche qu'il sera. Tous les jouets seront à lui. Toutes les grandes personnes qui ne veulent pas écouter, tous ceux qui ont ri de lui quand il leur disait la vérité, ils verront alors qu'ils auraient dû se méfier car il leur renverra l'ascenseur dans les gencives. Et les flots de sang inonderont le monde sous une mer immense et profonde dans laquelle les sarcasmes des ogres périront en noyades convulsives et justes.

Une bourrade amusée d'un vieillard vient faire taire l'enfant, et il se retrouve surpris, devant un visage souriant qui lui tend une coupe de champagne pour remplacer, sans rancune, la coupe renversée. Il sourit à son tour impeccablement et détaille les éventails de rides de l'iguane qui lui fait face. À quoi bon se laisser submerger par cette détresse infantile? Il est vingt-trois heures trente-cinq. Il sort son téléphone et appelle l'artificier.

Nina et son cavalier dansent une rumba jazzy. Il les quitte du regard pour aller s'entretenir avec l'ingénieur du son qui lui tend un micro et affirme que le morceau se terminera dans quelques secondes.

«Mes chers amis, je vous prie de m'accorder votre attention. Je vous remercie tous d'être venus ce soir. J'espère que vous prenez du bon temps. Je vous propose de vous préparer à assister à un spectacle pyrotechnique. Ceux qui ont besoin de se rafraîchir peuvent aller s'installer sur la terrasse où nos amis ingénieurs et chercheurs en électricité ont installé ces fameux nouveaux radiateurs qui produisent des cônes de chaleur. Vous verrez, c'est une expérience très intéressante : vous pouvez avoir les pieds au chaud, dans le cône, et la tête au frais, en dehors. Les plus conservateurs d'entre vous resteront ici et, pour les plus sportifs, il est possible de grimper dans le salon du deuxième étage.

Mais je vous en prie, décidez-vous rapidement, la première fusée décolle à minuit pile!»

La voix du maître de maison s'est répandue dans toute sa propriété, interrompant les discussions puis avivant la curiosité, les rires et l'intérêt des deux cent cinquante personnes présentes. Il leur reste vingt minutes pour aller prendre place et beaucoup sont en retard quand, à minuit, le premier explosif trace dans la nuit la déchirure de sa lumière.

Nina est montée dans le salon du deuxième étage, très vaste et impressionnant, au centre duquel un télescope en cuivre rappelle des images de séries de science-fiction démodées. Le feu d'artifice illumine la pièce, le ciel et une partie de la ville environnante. Le spectacle est de toute beauté. *La mer* de Debussy accompagne les bouquets de couleurs qui se forment en parallèle ou en contrepoint à la mélodie suave des rêveries marines.

Le maître de maison se trouve à quelques mètres de Nina et s'approche peu à peu. Il connaît bien cette musique et attend les dernières mesures pour murmurer à l'oreille de son invitée que ce spectacle est un présent en hommage à sa beauté et à son intelligence. Elle demeure attentive aux embrasements des cieux sans manifester d'émotion. Un silence intérieur pourtant émane de ces deux êtres dont il est impossible de deviner les pensées.

Le bouquet final survient pour opacifier encore la teneur de leur dialogue. Les projectiles lumineux dessinent une lettre de feu sur les rétines attentives pour lesquelles ces deux traits parallèles reliés par un troisième, oblique, forment sans aucun doute possible un fantasque et sidérant «N».

Les applaudissements tonnent pour saluer la beauté du spectacle. Au milieu de la joie et des félicitations, la vieille bonne Marguerite fend la foule et vient tirer son employeur par la manche. Elle dit : «Venez vite monsieur, c'est terrible, venez vite.» Son attitude désordonnée trahit un affolement incongru. Elle saisit sans prévenir le bras de son patron et l'entraîne malgré lui dans l'escalier qui mène au hall d'entrée. Il tente de demander : «Mais enfin que se passe-t-il?»

La bonne reste sourde à toutes ses questions. À mesure qu'ils descendent les marches une à une, elle semble se murer plus profondément dans le labyrinthe de son épouvante. Les personnes qui ont assisté à des scènes trop fortes pour leur entendement connaissent un remue-ménage intérieur semblable.

Il est souvent agacé par sa bonne et, à présent, elle vient l'arracher à la soirée et à Nina en se comportant comme une folle. C'en est trop. Une colère légitime monte en lui, d'autant qu'elle est demeurée introuvable toute la journée alors qu'il avait besoin d'elle. Peut-être devrait-il quand même se résoudre à la renvoyer?

Ils parviennent dans le hall puis Marguerite le conduit vers l'escalier de la cave. Les portes sont ouvertes. Qui les a ouvertes? Le chauffeur se tient là sans manifester d'émotion particulière. Il déclare que c'est moche, des choses pareilles. La bonne est toujours accrochée au bras du patron et le traîne en avant dans l'allée centrale de la cave. Elle raconte que c'est elle qui l'a trouvé quand elle est venue nettoyer le salon. Il dit : «Mais comment êtes-vous entrée ici?»

Ils arrivent devant les vitres du salon de dégustation. Jacques est allongé. Sa tête repose sur des oreillers. Il est livide. Une corde est posée devant l'entrée. Un pompier se trouve à ses côtés, lui parle, prend son pouls, téléphone pour obtenir un brancard.

La cravate de Jacques est défaite et sa chemise ouverte. Son cou porte les marques d'une violente strangulation. Dans son regard transparaît une émotion troublante et glaciale. Ses lèvres bougent à peine quand il dit : «Même ça, je l'ai raté.» Des larmes font apparaître des ravines de désespoir sur la peau de son visage. Tout le monde s'est tu.

Les pas des brancardiers approchent de ce gouffre maudit dans un lent et grave battement de tambour; ils soulèvent le corps et le remontent à la surface.

Les hirondelles

Des hirondelles survolent la ville. Leur plumage sombre dessine dans les airs de petits «v» qui zigzaguent à toute vitesse. Elles plongent à la recherche des insectes savoureux qu'engloutiront leurs rejetons. Nina surveille de son appartement les allées et venues de ces volatiles qui sont arrivés avec le printemps. Sa tête est tournée vers la droite et, avec la lente régularité d'un phare, elle se meut vers la gauche. Elle inverse ensuite le mouvement, oubliant peut-être dans son abandon que sa tête a opéré un demi-tour et n'a pas mené une révolution complète, et repart avec une douceur tout aussi résolue en sens inverse. Ce bercement lui procure une vague sensation de bien-être. Seule face aux cieux, les paupières battant l'air de leurs cils comme des ailes délicates, les cognements de son cœur qu'elle sent frapper sa poitrine en un appel proche de l'urgence – l'urgence d'être heureuse? –, elle dirige ses longues mains vers son visage.

Des larmes sont apparues aux coins de ses yeux maquillés. Des rigoles noires dessinent sur sa peau des ruisseaux de malheur. Du bout des doigts elle se vautre dans son mascara et le répand sur ses joues en faisant apparaître une mauvaise et pathétique parodie de peinture de guerre.

— Quelle souffrance, murmure-t-elle.

Puis elle rit tristement. De l'autre côté de la grande baie vitrée de son appartement, à l'horizon, le soleil se couche sans faire d'histoires.

Au même instant, Serge Lamontagne est attablé dans un bistrot de cuisine française traditionnelle. Un de ces endroits où l'on vous propose une entrée à base de charcuteries ou de poireaux vinaigrette, un plat plantureux apprécié pour ses saveurs, fromages ou dessert – crème brûlée, tarte aux pommes –, le tout arrosé par la fameuse cuvée du patron dont plusieurs amis sont vignerons.

Serge n'a aucun appétit. Les assiettes passent à portée de son regard en lui inspirant une profonde indifférence. Il consomme son troisième apéritif, un whisky allongé à l'eau plate. Bien que sa table se trouve devant une large fenêtre, il ne voit pas, perdu au-delà des vieilles bâtisses du quartier, le coucher de soleil. La lumière décline depuis presque une heure et des lampes ont été allumées.

Un client pénètre dans le bistrot et Serge sursaute. Une hirondelle passe par la porte et vient répandre ses cris de peur dans l'établissement. Les visages montent vers le plafond, des mains protègent certaines têtes. Les serveurs réagissent aussitôt. L'un d'eux va maintenir la porte ouverte, un autre saisit un balai et rabat l'oiseau vers la sortie. Et en moins de deux minutes, l'incident est clos. Les clients applaudissent chaleureusement l'efficacité du service, et des rires et des blagues démontrent que le danger n'est déjà plus qu'une bonne surprise dans les esprits.

Serge n'a pas applaudi. Il fixe avec intensité la place vide devant lui. Sa montre ne paraît pas le rassurer. Son verre ne contient presque plus de whisky. Il allume une cigarette, tapote une mélodie sur la nappe, tente de prendre une allure enjouée, échoue.

Un téléphone public se trouve dans le fond de la salle. Il n'a pas besoin de sortir son carnet d'adresses pour composer le numéro. Personne ne répond. Il recommence et cette fois la voix d'un homme vient lui éclater dans l'oreille.

— Allô? demande l'inconnu.

Les yeux de Serge se sont écarquillés avec une telle violence que le mur lui paraît s'approcher comme dans une chute. Il s'identifie et réclame Nina.

— Auriez-vous oublié notre rendez-vous?

— Mon Dieu! lance-t-elle avec un naturel inébranlable. Oh! Je suis absolument désolée. Je vous ai complètement oublié… Je ne pourrai pas sortir ce soir, un ami que j'aime beaucoup est arrivé en ville cet après-midi, et je ne peux pas le laisser seul.

Serge vient de changer de couleur plusieurs fois. Il transpire et essaie tant bien que mal de dissimuler la rage de reproches et de jalousie qui le renverse.

— J'aurais vraiment souhaité que nous passions la soirée ensemble.

Il ne peut rien dire d'autre.

— Allons, ne faites pas l'enfant. Je vous rappelle demain, c'est promis. Et allez vous distraire, je ne veux pas de sermon.

Elle a raccroché. Serge tient le combiné et compresse ses yeux à l'aide du pouce et de l'index de sa main droite. Il est désemparé et se dirige en tremblant de tout son corps vers le comptoir, où il règle sa note avant de disparaître dans la nuit.

Paolo inspecte la ville. Elle a changé depuis sa dernière visite. Le taxi roule sans se presser, confiant dans l'accent étranger de son client. Un cadre enveloppé dans du papier kraft se trouve sur le siège arrière. Paolo le touche par moments, s'assurant qu'il ne glisse pas et prêt à le retenir au cas où le véhicule pilerait. Il regarde sa montre, bien qu'il ne soit pas en retard.

La voiture s'immobilise devant un immeuble neuf. Une belle pierre grise, de grandes fenêtres sans tain et des voitures coûteuses le désignent comme un lieu de grand standing. Il paie sa course et sort précautionneusement son paquet, qui passe tout juste par la portière.

Il avance comme s'il dosait le poids de ses pieds et s'arrête devant les interphones. Il soulève son cadre avant de chercher le nom. La couleur de l'emballage est uniforme, avec cependant de fines lignes qui lui apparaissent à force de contemplation. Un paquet de souvenirs lui dégringole dessus sans crier gare.

Son atelier n'est pas en ordre. Beaucoup d'esquisses, d'objets cassés ou déchirés parsèment le sol comme des déchets. Il est assis par terre contre un mur, la tête entre les mains. Ses yeux se baladent dans la pièce et s'arrêtent parfois sur un pinceau, une boîte ou sur cette croûte qui recouvre le plancher par endroits.

Il se souvient très bien de son arrivée ce jour-là. Elle est entrée et tout de suite elle était chez elle. Après des mois d'absence, aucune explication n'est sortie de sa bouche. Elle a parcouru l'atelier en inspectant ce qui pouvait ressembler à des travaux en cours, s'est écriée : «Mais quel bazar!» et s'est plantée devant lui.

— Mon pauvre, mais qu'est-ce que tu fais?

Il l'a regardée comme pris en flagrant délit.

— Que me veux-tu? jette-t-il péniblement.

Et elle a souri. Ses lèvres se sont écartées et ses belles dents blanches sont apparues comme des étoiles à la tombée du jour.

— Il est bien, ton nouvel atelier. Mais tu pourrais aérer de temps à autre, ça pue là-dedans!

Elle est allée ouvrir les deux fenêtres et a posé ses mains dans le soleil de la fin de l'hiver pour regarder à l'extérieur. De dos, Paolo a eu le temps de l'admirer et de comprendre qu'elle n'était pas revenue pour le voir. Un parfum de terre humide est entré dans la pièce. Il a laissé sa tête tomber en arrière contre le mur. La tentation de s'abandonner à cette scène a fait retentir en lui une sirène pleine de rancœur. Il a dégluti bruyamment pour se rappeler au monde et ne pas sombrer dans une nostalgie trompeuse.

— Que me veux-tu? a-t-il répété avec insistance, martelant chaque syllabe sur sa pauvre croix.

Elle, toujours en mouvement, prenant des poses, lui jetant des regards comme des poignées d'eau fraîche, n'a pas parlé tout de suite.

Paolo baisse son cadre et part à la recherche de son nom. Il est dix-sept heures vingt. Il sonne à l'interphone.

Ces derniers temps, Nina a été très occupée. Dans une débauche d'énergie, elle a abattu un travail considérable. Peut-être que cela a commencé alors qu'elle se trouvait seule dans son salon?

Allongée sur son long canapé en toile d'un blanc crémeux, se limant les ongles, elle écoutait de la musique douce. Par la baie vitrée qui ouvre sur la ville, l'agitation particulière à l'heure de sortie des bureaux produisait un vague vacarme de klaxons et de cris brefs. Des avions passaient dans le ciel. La nuit, bientôt, si les nuages se retiraient, ce seraient les satellites ou peut-être, avec beaucoup de chance, une étoile filante qui viendraient égayer ces points de mire que sont Mars ou Vénus. Nina aime la Lune aussi. La contemplation de ses traits bruns, presque noirs sous leur maquillage éclatant, remplit les longues méditations où échouent parfois ses pensées.

Toujours étendue, elle a mis fin à son travail de manucure. Elle s'est relâchée, ses muscles se sont détendus et elle s'est enfoncée dans les coussins. Où? pensa-t-elle. Sa main tenait encore une lime, qui chut sur la moquette dans un bruit infime et mat. Le plafond devant ses yeux lui offrait un vaste champ d'investigation. Des paysages apparaissent, des continents, des animaux et tout un fatras d'images d'Épinal tournent dans son esprit. Elle cherche l'endroit idéal et ne parvient pas à se décider. Tout est beau, resplendissant de lumière, aveuglant d'exotisme, mais elle est lasse. Sauter d'un pays à un autre ne lui procure pas plus de plaisir que de manier une télécommande. Quand on n'a pas envie de bonheur, un ami pourrait vous en donner une tonne que vous le confondriez avec de la merde de chien.

Nina persiste et revient aux choses les plus simples. Elle se lève d'un bond et sort d'un placard un tas de cartes qu'elle répand sur le sol. Ne l'intéressent que celles du pays, et ce sont des noms locaux qui surgissent à présent. Certains retiennent son attention pour les souvenirs qu'elle partage avec eux, d'autres l'amusent ou suscitent son intérêt en raison d'une revue féminine qu'elle a lue dans l'après-midi, et une grosse majorité échoue dans les oubliettes de l'indifférence : parce que celui-ci est laid ou bête, ou que celui-là est trop proche ou trop loin.

Elle a procédé à son tri et trois noms de villes, avec les plans de leur centre et des informations sur la vie culturelle qui s'y délite à coups de compressions budgétaires, sont montés sur le podium. Incapable de se décider, elle les inscrit sur une feuille qu'elle va punaiser contre un mur.

Du tiroir d'une commode, elle extrait des fléchettes qui sont embellies de petites plumes rouges, bleues, jaunes et vertes. Nina compte quatre pas et se retourne.

Une fléchette se retrouve avec stupéfaction tenue par une main malhabile et peu experte. Elle part tout à coup dans les airs et tente de décrire avec toute sa bonne volonté une trajectoire digne de ce nom. Mais sans résultat. Elle parvient à s'accrocher au mur, chevrote et finalement tombe vers le sol en entraînant un peu de peinture et de plâtre dans sa chute.

Une troupe considérable de fléchettes se voit décimée. Un coup de chance ou d'adresse finit tout de même par en envoyer une sur le papier aux trois noms. Nina s'approche et constate sans aucun doute possible que l'un d'eux a été désigné par le destin.

— Tu as gagné, affirme-t-elle avec un sourire maternel et tendre.

Nina et Serge sont allés dîner ensemble. Cela s'est passé un mois auparavant. Il a choisi le restaurant le plus coté de la ville. Tout était somptueux. Ils ont beaucoup ri et se sont fait des confidences bêtes. Chacun a prononcé de douces phrases sur la vie, ses joies et ses peines. Et Serge, en particulier, s'est lancé dans le récit des aventures qui ont jalonné son existence, ses doutes et ses espoirs, pour terminer sur les plus belles réussites, celles dont il est fier, qui l'ont amené là où il est à présent.

Elle écoute. Ses beaux yeux sont plantés dans le visage de son compagnon. Quand il lui a pris la main délicatement, elle lui a signifié son affection, mais en retirant la sienne presque aussitôt.

Elle se lève en disant «excuse-moi» parce que, ça y est, ils se tutoient. Elle se dirige vers les toilettes de l'établissement qui sont d'un luxe exceptionnel. Devant l'un des grands miroirs reflétant les boiseries et le marbre de deux colonnes, elle se remaquille. Ses traits impassibles ne laissent pas deviner qu'elle est en train de passer une soirée très romantique. Elle soupire à plusieurs reprises. Tout son visage est relâché. Elle baisse la tête de côté et ferme les yeux. Inspire. Expire tout ce qu'elle peut. Se regarde, de biais et d'en bas.

Serge a commandé une bouteille de champagne pour accompagner le dessert. Ils trinquent à la vie. Décidément.

Le programme, c'est le programme. En sortant, Nina s'est laissé raccompagner dans la gigantesque Bentley de Serge. Un charme indicible, dans cette forteresse roulante, a emporté leurs esprits vers les pays du rêve. Pas la peine de parler. La route défile, la vie avance, les corps se délassent dans la paresse, les étoiles entre les nuages brillent de tous les feux de l'imagination.

Il a pris de nombreux détours pour le plaisir de prolonger ces instants. Quand il a garé sa voiture devant chez Nina, une atmosphère propice à l'intimité régnait entre eux. Des secondes ont passé à toute vitesse, chargées de messages de crainte et d'ennui.

— Serge, je ne suis pas prête.

Nina sort de la voiture. Elle s'enfuit vers la porte de son immeuble. Au dernier moment, elle se retourne puis disparaît.

Serge est demeuré accroché à la bouée de son volant. Il gonfle les poumons de tous ses rêves. Car il est heureux. Un vent chaud souffle de la terre et du ciel. La frustration passagère qui a tenté d'envahir le pont de ses pensées s'est vu rejeter soudainement par ces paroles qui sont venues remettre à flot la chaloupe d'amour dans laquelle il écope depuis longtemps. Pour la première fois, le voile de la sympathie s'est déchiré en découvrant un pur diamant. Ce sont bien des relents d'amour qu'il vient de sentir s'évaporer dans les airs. Il rit tout seul comme un idiot.

Je fais des rêves terribles. Je n'y comprends rien. Tout se déroule comme prévu pourtant. Je ne suis qu'une femme-esclave. Je serai libre et puissante. À moi bientôt la fortune.

Le rêve de cette nuit est déjà venu à plusieurs reprises. Je ne parviens pas toujours jusqu'à la fin. Je me réveille et c'est tant mieux.

Je suis dans la cour d'une école que je ne connais pas. Les adolescents dépensent leur frénésie dans le sport ou des paroles qui échauffent leurs passions. Le ciel est aussi sale que le goudron, mais tout le monde s'en fout. Des surveillants, comme des gardiens de troupeaux, s'appliquent à faire respecter l'ordre dans l'agitation.

Je me dirige vers le terrain de volley-ball où jouent mes amies. Elles portent des jeans, rarement des robes, le chapeau d'une originale se voit de loin, et moi je porte une jupe courte et un pull qui moule mes seins. Je suis bien foutue, c'est normal. Je ne dis pas que j'ai conscience d'être une petite boule de désir ambulante, je dis que la nature guide mes gestes et que je n'y peux rien.

Ma meilleure amie n'est pas mal non plus. Ses longs cheveux noirs descendent jusqu'au milieu de son dos. Elle est très timide et plaît beaucoup aux garçons sans s'en rendre compte, ce qui me fait rire en général et m'énerve parfois. Elle discute avec un ami que je crois bien connaître.

Il me regarde de travers et elle non plus n'a pas l'air très heureuse de me voir arriver. Ils me saluent froidement. Et se taisent. Je leur demande si quelqu'un a eu un accident ou quoi, pourquoi ils font cette tête. Toujours silencieux, ils m'observent comme si j'étais dangereuse.

— Tu crois qu'elle dénonce toujours ses amis quand elle est dans la merde? demande le garçon à mon amie sans faire attention à ma présence. Je me pose la question parce que je ne vois pas comment on pourrait continuer à lui parler si c'est une moucharde.

Que se passe-t-il? Je n'ai mouchardé personne. Une sensation désagréable vient me déranger. Je repense à toutes ces petites mauvaises actions que j'ai pu commettre et pour lesquelles il n'y a pas d'excuse possible. Mais elles n'ont aucun rapport avec mes écarts de conduite les plus récents.

Je me défends contre moi-même. Non, c'est faux, jamais je ne leur ai fait de mal. Ce sont mes amis. À la vie, à la mort. Le doute revient à la charge sans que je puisse m'en protéger. Je suis à sa merci. Oui c'est vrai, parfois je suis lâche, et puis j'ai peur. Que faire contre la peur? Si j'ai mal agi, c'est que je n'avais pas le choix. C'est la vie qui veut ça. La semaine dernière j'ai laissé tomber mon petit ami – celui que j'avais dans ce rêve – pour quelqu'un qui est beaucoup plus fort et beaucoup plus riche. En plus, il est beau. C'est la vie. On n'y peut rien. Mais cela n'a rien à voir. Ils détestaient mon ex. Non, je sens bien que c'est très important et que le problème est ailleurs.

Hier, je me suis réveillée à ce moment-là. Je connais la suite et je n'ai pas pu la supporter…

Paolo sonne, entre, appelle l'ascenseur, se laisse transporter, parvient devant la porte de l'appartement qui n'est pas fermée à clé. Nina le lui a dit. Il reste debout devant le rectangle de bois. C'est un des moments importants de son existence, un de ceux qui marquent votre mémoire au fer rouge et resurgissent souvent par la suite pour vous conforter dans les choix radicaux que vous avez préféré faire, pour vous mettre en accusation vis-à-vis de ces lâchetés que vous aviez confondues avec de grands actes de courage, pour semer des fleurs dans votre esprit ou une grande noirceur qui embrumera votre jugement à jamais.

Quand ces moments approchent, ils lancent des appels dans toutes les directions de la forêt où vous êtes perdu. Ils hèlent tout ce qui passe. Les vivants et les morts rappliquent. Rien n'a changé. Ce sont toujours les mêmes, ceux que vous aimez et les autres que vous ne pouvez pas supporter. Ils viennent danser avec vous, vous emportent dans le carnaval des souvenirs, tendent des plats qui affolent les papilles de votre mémoire, vous font rire et pleurer comme un bon livre.

Les moments majeurs de votre existence sont présents à jamais, gravés sur le manuscrit qui vous habite, que vous cherchez à écrire sans vous rendre compte parfois que vous tenez un stylo dans cette main innocente avec laquelle vous dessinez dans les airs ces actes impardonnables qui vous bannissent de la communauté des hommes.

Paolo subit ces agressions tranquillement. Il ne souhaite pas entrer tout de suite et préfère laisser le calme reprendre possession de son esprit qui lui fait revivre une scène.

Dans son atelier, Nina n'a pas dit un mot. Les fenêtres, le parfum, les bruits de la ville, le désordre, la peinture, les esquisses, tout reparaît comme par magie. Elle ne lui a pas donné d'explication tout de suite. Non.

Elle s'est déshabillée lentement, de l'autre côté de la pièce, comme si de rien n'était, comme au travail. Elle est magnifique. Son sexe attire irrésistiblement le regard de Paolo. Son corps tout entier reçoit le pain d'épice du soleil. Elle déplace un lit de camp qu'elle tire jusqu'à un endroit très précis, où il aime peindre. Elle s'allonge sur le drap taché et poussiéreux comme si elle se posait sur du satin. Et prend la pose.

— Je veux que tu fasses un nu de moi, Paolo. Tout de suite. Et je veux qu'il soit aussi réussi que celui que tu as fait pour ta femme, tu te souviens? Je veux qu'il soit meilleur. Je veux que ce soit ton œuvre ultime. Ne me demande pas pourquoi tout de suite. Tu ne seras pas déçu. Travaille, je m'occupe du reste.

C'est sans bagages que Nina arrive dans la ville désignée par son jeu de fléchettes. Au taxi, elle donne l'adresse d'une agence immobilière qu'elle a repérée dans un annuaire téléphonique.

Deux vitrines présentent des annonces alléchantes : d'appartements à louer sur la première, et de maisons à vendre sur l'autre. Nina est habillée d'un tailleur rouge sang dont la jupe courte appelle au voyeurisme. La secrétaire n'a pas le temps de lui poser les questions d'usage. Le patron de l'agence surgit de son bureau et se plante comme un poteau devant la visiteuse. Son regard glisse malgré lui sur le corps de la créature. Il prend les choses en main immédiatement, «Mais bien sûr, madame, que nous avons ce qu'il vous faut.»

Il propose de l'emmener lui-même visiter un magnifique logement de sept pièces, avec toutes les commodités et une vue imprenable sur la rivière, un vieux moulin à aubes et ce pont, là-bas, près duquel le meilleur restaurant des alentours attire les touristes.

Nina réfléchit, assise à la place du passager, à ce qu'elle pourra bien faire dans cette ville. La maison de notable, en pierre de taille, a été divisée en plusieurs logements. Ils montent l'escalier jusqu'au deuxième étage. L'appartement occupe tout le palier. Des moulures au plafond donnent une impression de luxe. Les fenêtres sont grandes. Le papier peint est une horreur. Le parquet en vieux chêne et les cheminées rattrapent le coup. La vue sur la rivière est apaisante.

— Vous comptez vous installer ici? demande l'agent immobilier en jetant des regards toujours porcins.

Elle répond évasivement et il lui annonce que le bail est d'une durée de trois ans et que c'est une fleur qu'il lui fait parce que d'autres visiteurs sont déjà venus et qu'il attend leur réponse.

— Vous venez vous installer en famille?

Nina sourit intérieurement. Elle baisse le visage et le maintient avec sa main, tout à coup, comme si une grande émotion venait de la saisir. Elle se met même à sangloter.

— Non, souffle-t-elle, je suis seule… si seule…

L'agent est perdu. Mais ne vous mettez pas dans un état pareil, ma petite dame, c'est la vie. Il vous a laissée tomber, c'est ça? Une belle fille comme vous. Il ne peut réprimer un sourire.

Et Nina soudain est dépassée par les événements. Que se passe-t-il? Elle sent en elle monter des tourbillons contre lesquels elle demeure sans défense. Elle ne se contrôle plus. C'est la catastrophe. Elle se met à pleurer à chaudes larmes. Son visage est inondé, sa poitrine est secouée par des hoquets irré-pressibles. Elle lutte désespérément pour mettre un frein à ce stupide débor-dement. Mais rien n'y fait. Elle pleure comme on meurt, à force de vivre, elle pleure contre toute sa volonté, elle pleure sans revenir à elle. Elle voit l'homme qui est empêtré dans son désir et ne parvient pas à réagir. Elle pleure encore. Elle se tourne pour essuyer ses larmes dans un mouchoir. Sur la cheminée, un miroir dans un cadre doré lui rend son image et, pendant un instant, elle peut se contempler, immobile, dans toute sa détresse et, à ce moment-là, elle se remet à pleurer sans chercher à se retenir.

Serge Lamontagne veut voir son jardinier. Il se trouve dans le parc qui entoure sa maison. Le jardinier travaille plus que d'habitude. Il pousse une brouette remplie de plants de géraniums grimpants qu'il destine à la longue pergola commandée par son patron un mois plus tôt. Il avance doucement, réfléchissant à l'ordre dans lequel il va effectuer ses plantations. Serge le sur-prend. Il est nerveux, pressé, et a un souci de perfection un peu excessif au goût des membres de son personnel ces derniers temps. Aujourd'hui, il est de bonne humeur. Ça faisait longtemps.

— Bonjour, j'aimerais que vous apportiez plus de fleurs à Hilda et Mar-guerite. Elles en ont besoin pour décorer le petit salon et l'entrée. Je reçois ce soir.

Le jardinier s'arrête et pose sa brouette. Il semble réfléchir alors que ses yeux fixent un parterre de tulipes et que ses doigts aux ongles terreux grattent sa barbe poivre et sel. Comme il ne prononce pas une seule parole, Serge, qui s'apprêtait à repartir aussitôt et dont un pied avait déjà quitté le sol, doit retenir ce pied dont l'élan menace de l'emporter dans une mauvaise direction, voire de le faire tomber :

— Qu'est-ce qui ne va pas?

L'employé a son franc-parler et déclare qu'il ne peut plus suivre. Il faut des fleurs tout le temps et encore des fleurs, tous les jours. Il va falloir baisser le rythme ou alors embaucher un aide pour lui donner un coup de main. Et si je peux me permettre, vous en faites peut-être un peu trop, non?

Serge a écouté avec beaucoup d'attention. Il a fait un rapide calcul et, bien sûr, il reconnaît intérieurement qu'il en demande beaucoup plus qu'avant.

Mais les derniers mots qu'il a entendus lui font piquer un fard de rage. Il bredouille. Que faire? Comment cet être insignifiant peut-il lui donner des conseils sur la personne qu'il aime? Le jardinier a un âge auquel la vie concède généralement une bonne dose de sagesse.

Les journées de Serge sont consacrées aux cadeaux de plus en plus somptueux qu'il envoie à Nina pour l'assurer de ses sentiments. Ce sont des fleurs, des invitations dans tous les endroits les plus chics, des voyages en hélicoptère jusqu'au bord de la mer, peu de bijoux, pour l'instant, mais tout un fatras de menus objets – disques rares, bibelots inutiles, antiquités charmantes – dont la découverte émerveille son esprit à la pensée de la joie qu'elle va éprouver en se rappelant une de ses promesses ou la bonne qualité de sa mémoire.

Et, pour la première fois, il se demande s'il n'en fait pas trop. Qu'a-t-elle fait, hormis accepter ces témoignages d'affection? Elle y a répondu. Oui, c'est vrai, d'une certaine manière. Carrément même : ce matin elle lui a promis d'accepter son invitation à dîner pour ce soir.

— C'est d'accord, vous pouvez embaucher un aide à mi-temps. On verra pour la suite.

Le jardinier continue à se gratter les poils du menton en regardant son patron s'éloigner avec un air heureux, béat et entier d'homme aux anges.

Quel rêve horrible. Je me souviens de la suite parfaitement. Celle que je sens être ma meilleure amie et le garçon sont toujours face à moi. Ils ne parviennent pas à rester en place et ressemblent à des cocottes-minute qui vont exploser.

Et soudain mon amie me donne un coup qui fait tomber mon sac par terre. Elle crie :

— Mais quelle menteuse!

Je reste stupéfaite et elle aussi, surprise par la violence de son propre geste. Nous nous regardons sans savoir quelle action est censée suivre cet éclat de haine. Elle bout sans oser me toucher. Je me baisse doucement pour ramasser mes affaires. Et le garçon me marche sur les doigts de la main gauche pour la bloquer à terre. Je me retrouve dans une position ridicule. Il se tient debout devant moi. Il paraît très énervé. Ses sourcils sont froncés comme s'il allait bondir telle une bête sauvage. Et moi je suis à genoux par terre. Il appuie très fort sur mes doigts et j'ai mal. Je tente de protester, sans résultat. Impossible de bouger sans quoi il pèse de tout son poids. J'ai envie de hurler. Je les regarde et je vois une telle colère sur leur visage qu'ils m'imposent le silence.

— Tu n'as vraiment rien à nous dire? demande le garçon avec ironie.

Non, je ne me rappelle pas avoir commis une action assez mauvaise pour les mettre dans cet état. Du moins, rien qui les concerne directement. Ce n'est tout de même pas parce que j'ai viré mon raté de petit ami qu'ils m'en veulent. Je le sais, j'en suis sûre, ils le détestaient, eux aussi.

Non. Mais je ne vois vraiment pas ce qui peut les rendre fous à ce point. Que quelqu'un m'explique! Voilà ma meilleure amie, voilà un garçon charmant, je les rencontre, ils sont devant moi, nous devrions rire, nous devrions sympathiser et nous draguer et profiter de la vie. On m'a tendu un piège. Une vengeance. Ce serait ridicule.

C'est peut-être moi. Je sais bien que je ne suis pas toujours une chic fille. Mon caractère m'impose des actes que je regrette toujours sincèrement. Je suis franche dans le repentir, mais je ne peux pas résister à la tentation. C'est mon petit défaut. Un très petit défaut au fond.

La cause se trouve là, j'en ai la conviction. Ces petits riens se sont accumulés en moi et à présent le mouvement s'inverse. C'est vers l'extérieur que mes riens se font la malle. Tout le monde les voit en plein jour. Tout le monde les sent, et je vais finir par m'attirer des ennuis avec tous les gens qui se trouveront sur mon passage. Quelle situation.

Il faut que je leur échappe, que je fuie. Et d'abord il faut qu'il arrête de m'écraser la main avec son pied. Il refuse de bouger. Ils se taisent mais sont très énervés. Soudain, je n'en reviens pas, le garçon se met à hurler.

Je me réveille souvent à ce moment-là...

Paolo ouvre la porte. Nina est allongée sur un canapé. Elle se lève et vient le prendre dans ses bras. Elle l'embrasse. Il répond sans entrain à ses cajoleries. Elle l'invite à s'asseoir en regardant avec ses grands yeux le paquet qu'il tient et pose contre un mur.

Paolo réclame un verre de whisky. Ils s'installent pour discuter.

— Je ne sais pas quoi penser de cette toile, dit-il. C'est une réussite, je crois. J'y ai mis beaucoup de moi-même et beaucoup de toi aussi. Ce qui m'inquiète, c'est la raison pour laquelle tu m'as demandé de travailler là-dessus. Je crains que tu ne cherches encore à me mêler à l'un de tes projets tordus. Tu vas finir par me faire peur avec tes machinations.

Nina continue de sourire. De multiples pensées doivent circuler en même temps dans son esprit et des embouteillages lui imposent plusieurs secondes de manœuvre avant de s'en sortir.

— Tu as tout de même été très satisfait de notre dernier accord, n'est-ce pas? Ta femme a acheté son portrait avec toute sa fortune, je crois. Et remarque bien que je ne t'ai rien demandé.

Paolo se souvient des moments de joie qu'il a connus, à l'époque, pendant leur liaison. Il songe également à tous les autres, pénibles, qu'il a regrettés amèrement par la suite. Elle l'a manipulé si adroitement qu'il en est venu à effacer sa femme de ses préoccupations. Elle s'est ruinée pour acheter son foutu tableau et a demandé le divorce. Ce que Nina ignore, c'est qu'il a restitué la majeure partie de sa fortune à sa femme par la suite. Comment aurait-il pu faire autrement? La vie sépare avec soin les bons des méchants et Paolo a choisi son camp.

— Arrête ton baratin et explique-moi le projet alambiqué dans lequel tu veux me piéger.

— C'est très simple. Un homme riche s'est entiché de moi mais moi pas. Je ne veux pas le voir souffrir. J'ai donc décidé de disparaître pendant quelque temps. Mais pour ne pas lui faire trop de mal, je me suis dit qu'il pourrait souhaiter avoir un portrait de moi. Tu vois, c'est pour le bonheur de tous que j'agis. Il n'y a rien de machiavélique là-dedans.

Il tente de percevoir, au sein des zones d'ombre que laissent toujours les discours, les faits et les mensonges. Il demande quand et comment elle compte lui donner le portrait. Et Nina rit franchement en levant la tête et en fermant les yeux. Elle est vraiment très belle.

— Je l'avoue, je ne compte pas lui donner le tableau. S'il m'aime un peu, il se l'achètera.

Il se lève, prend le cadre, arrache le papier qui l'emballe et le place devant les yeux de Nina. Elle ne rit plus. Ses traits se sont figés instantanément. Elle saisit le tableau et l'observe comme s'il s'agissait d'une chose terrifiante. Les minutes passent. Il se ressert un verre et va s'installer devant la baie vitrée.

Elle vient le rejoindre plus tard. Elle pleure et son maquillage salit tout son visage.

— Quelle souffrance, murmure-t-elle.

Le téléphone sonne. Se tait. Sonne à nouveau. C'est Paolo qui va répondre.

— Serge Lamontagne te demande, déclare-t-il en la fixant avec insistance.

Elle prend le combiné et évacue rapidement son interlocuteur sur un ton enjoué.

Paolo est allé remettre son manteau.

— Adieu, Nina, dit-il avant de fermer la porte.

Quelques jours plus tôt, elle s'est rendue dans un de ces bars louches qui pullulent dans les mauvais quartiers de la ville. Quelques habitués, soûls pour la plupart, levaient leur verre en commentant le sport diffusé sur les écrans d'une télévision. Malgré ses efforts pour être discrète, Nina est dévisagée par tous les mâles présents. Elle s'installe au comptoir et commande un bourbon. Elle connaît le serveur.

— Salut, Sylvio, tu as les papiers?

Il lui sert son verre et pose à côté une carte d'identité et un passeport qu'elle inspecte avec soin. À son tour, elle pose une enveloppe sur le comptoir qu'elle pousse en se retournant et qui tombe de l'autre côté.

— C'est du bon travail, je te remercie.

Sylvio est habitué aux situations les plus étonnantes. Ses clients habituels n'ont pas un rond, mais parfois aussi ils paient grassement ses services. Sa conscience professionnelle est à l'épreuve des balles.

— C't'un beau nom que vous avez là, madame Clarisse Lamontagne. Enfin… ça sonne pas mal.

— Vous êtes gentil, Sylvio, dit-elle avec un sourire que le barman apprécie à sa juste valeur.

Elle se lève, se dirige vers la sortie et disparaît.

Serge est installé à une grande table. Des aliments sont disposés devant lui mais il ne mange pas. Des bougies sont allumées, des bouquets de fleurs égaient la pièce et l'embaument de parfums délicats. Dans la cheminée, un feu tranquille chasse l'humidité du printemps. Il contemple les flammes depuis plus d'une heure. Des images doivent lui venir à l'esprit pour qu'il demeure ainsi sans faire un mouvement, avec cette intensité particulière aux moments forts de l'existence.

Serge se lève. Il va choisir un disque. Un vieil enregistrement des valses de Chopin interprétées par Samson François. Une merveille. Il a le regard vide, fixe un mur où les ombres du feu dessinent des figures. De petits démons, des fées, des femmes et des hommes apparaissent dans des scènes. Ils se séparent et se retrouvent avec des mouvements souvent trop pressés. On aimerait les contraindre à une lenteur plus cérémonieuse. On aimerait les voir cesser de gesticuler comme des marionnettes.

Le feu ne reste pas en place. Il peut connaître des moments d'accalmie, mais c'est pour repartir toujours de plus belle, bondir, lancer soudainement ses flammes en l'air, se colorer de rouge, de jaune, de bleu, et rapetisser en tisons ardents puis grandir en dangereux flamboiements jusqu'à, parfois, quitter l'âtre où se trouve son foyer et se répandre en colère ou en désespoir de cause sur les murs, sur les planchers, et tout dévorer sur son passage jusqu'à fuir ou s'éteindre, sans force, comme abandonné, et disparaître à l'image de ces grands personnages dont le souvenir a disparu de la mémoire des hommes.

La vieille bonne entre et demande si elle peut desservir. Serge fait un vague geste de la main. Marguerite emporte la bouteille de vin et les verres vides. Elle paraît éprouver une certaine satisfaction à voir la bouteille pleine. Il demande si quelqu'un a appelé. Marguerite affirme qu'elle serait venue le prévenir immédiatement, bien sûr. Serge demeure tourné vers le mur. La bonne sort en le regardant avec un air de franche compassion et hoche la tête avec contrariété en expirant des sons réprobateurs.

Pourquoi ce rêve revient-il me harceler? Cette question fait se dresser en moi d'étranges vagues d'appréhension. Je suis seule face à la vie. Quelqu'un viendra-t-il me secourir? J'ai toujours assisté les personnes de mon entourage. Aidez-moi. Trouvez quelque chose. Je suis quelqu'un de bien, comme vous. Il va falloir une solution, sinon nous y passerons tous. Vous le savez que nous sommes pareils, vous et moi. Alors ce n'est pas une menace que je vous adresse mais un bon conseil : faites quelque chose. Vous allez crever si personne ne réagit. C'est la fin. La réalité n'est pas comme ça. Je suis sûre que l'on se trompe.

Pourquoi mon rêve est-il si atroce? Pourquoi ce garçon qui me plaît continue-t-il à écraser ma main sur le goudron? Je n'en peux plus. Aidez-moi, je vous en supplie. Je ne suis pas mauvaise; j'ai des défauts, comme tout le monde.

Si on n'avait pas de défauts, on s'ennuierait, on resterait bloqué toute sa vie dans des situations sans intérêt avec des gens que l'on déteste. Il faut bien changer, trouver autre chose. Changer. Si on rencontre d'autres personnes, la situation sera différente. Vous agirez différemment, vous serez heureux. Pourquoi personne ne dit rien? Mais répondez!

La suite de mon rêve me met très mal à l'aise. Rien que d'y penser, je me sens mal.

Le garçon hurle. Il hurle comme un dingue, comme si toute la ville devait être avertie. Et moi, je retombe, je n'essaie plus de m'enfuir, je suis prise au piège, je vais mourir si personne n'arrête ce supplice.

— Hé! Venez tous! On a quelque chose d'intéressant à vous montrer!

Le rêve devient alors complètement surréaliste. Tous les élèves qui se trouvent dans la cour s'approchent et nous encerclent. Puis c'est à tous les autres élèves de toutes les classes, aux professeurs, à tous les fonctionnaires de l'école de venir former un cercle au centre duquel je me retrouve piégée, la main toujours écrasée.

Et la ville entière débarque et s'installe dans de gigantesques gradins qui montent vers le ciel et cachent l'horizon. Je vois mes parents qui me regardent et toute ma famille et tous les gens que j'ai pu rencontrer dans ma vie. Ils attendent tous quelque chose. Un truc dont j'ai peur et que je sens arriver à toute allure et qui va me percuter et me tuer.

Le garçon constate que tout le monde est là. Il ôte son pied. Je retire ma main pour la frotter et je me relève. Le garçon lève son poing fermé devant mon visage. Il n'a pas l'air de vouloir me frapper, mais il me menace quand même. Sa main monte très haut au-dessus de ma tête et il ouvre le poing.

Je vois à l'intérieur un objet inconnu mais qui me remplit de terreur, oui, de terreur, je ne l'ai jamais vu, mais j'ai peur et j'ai mal et je crie. C'est un bâton de rouge à lèvres. Mais pourquoi? Pourquoi ce bâton? Pourquoi cette foule innombrable qui pousse tout à coup un cri comme une plainte accusatrice qui fait trembler les gradins, le sol et le ciel lui-même qui vibre comme s'il allait éclater?

Quand je fais ce rêve, je me demande vraiment si je ne suis pas folle...

Ils se trouvent dans une salle des ventes. Ils ne parviennent pas à dénicher d'objets suffisamment beaux ou étranges pour exciter leur intérêt. La foule est venue en si grand nombre qu'ils n'atteignent la sortie qu'avec difficulté.

Nina explique sur un ton enjoué qu'elle a servi de modèle à un peintre et que le tableau est une petite merveille dont Serge pourra constater la réussite dans un mois, lors de sa vente ici même.

— Il est venu en personne me le montrer la semaine dernière. Vous vous souvenez, le soir où je vous ai posé un lapin.

Elle rit et ajoute :

— Allons, ne faites pas cette tête, ce n'est qu'un ami. Et je vous assure que ce tableau m'a littéralement renversée. Venez le voir. Je suis sûre que vous adorerez.

Serge a chassé un des multiples paquets d'idées noires qui empoisonnaient son esprit. Il parvient à sourire mais, d'ores et déjà, une impatience torturante lui gâche la seconde de répit offerte, qui vient de s'évanouir comme une goutte d'eau en plein soleil. Il propose d'aller s'installer dans un bar, au coin de la rue.

L'endroit est original. L'intérieur ressemble à un bateau. Les boiseries recouvrent toutes les surfaces, des mâts sont dressés entre lesquels des tissus, comme des voiles, oscillent sous les ventilateurs. Le plafond est voûté comme une coque renversée, deux escaliers très raides grincent et conduisent à de petites cabines où, en plus de tables et de chaises, on trouve des hamacs rudimentaires.

La clientèle est rare, il est onze heures du matin. Ils commandent tous les deux un cocktail à base de rhum. Serge cherche une phrase pour échapper à cette angoisse qu'il ressent devant Nina. Il raconte l'histoire de l'hirondelle qui a fait irruption dans le bistrot où il dînait. Elle rit devant ses mimiques et ses bons mots.

Elle rit et s'arrête subitement de manifester de la joie pour le regarder avec une intensité sans rapport avec cette ambiance détendue et cette intimité qui étaient venues habiller leur conversation.

— Serge, j'ai à vous parler de quelque chose de triste.

Il l'a rarement vue prendre un air aussi sérieux et décidé. Il est impressionné et s'attend à une révélation terrible avec ce petit fond d'espoir qui ne meurt jamais dans le cœur des amoureux éperdus.

— Je vais partir, Serge. Il le faut. Ne me demandez pas quand je reviendrai. Je vais revenir. Je suis une hirondelle, Serge. L'instinct m'appelle ailleurs. Ne m'en veuillez pas. Restez assis, ne faites pas un geste. Je vais me lever. C'est brusque, mais les adieux sont trop déchirants pour moi.

Et Serge ouvre de grands yeux car il voit Nina qui se lève. Il ne fait pas un geste. Elle part. Il ne bouge toujours pas. Elle traverse la salle du bar, en ouvre la porte et disparaît. Il est pétrifié par une terreur sans nom. Le seul mouvement qui l'anime, après des minutes passées dans l'hébétude la plus complète, consiste à incliner la tête.

La rage de vivre

Guy a stoppé la voiture devant la mer. Le vaste pare-brise offre un spectacle de toute beauté. Le ciel dessine deux gigantesques fresques sur chacun des deux versants de l'horizon. On voit d'un côté le soleil qui se couche. L'amas de nuages tourmentés qui aurait pu le voiler est ouvert comme si un boulet de canon monstrueux l'avait transpercé. L'œil bleuté qui est apparu dans ce déchirement fabuleux est fardé d'une corolle d'or mêlée de traînées blanchâtres. Le maquillage céleste illumine les pupilles et déclenche les tourments de l'imagination. Quoi! un œil dans les cieux d'habitude si sages! Les marques d'un combat monumental zèbrent toute cette portion azurée qui est carnage, violence, cercles de lumière et d'eau en suspension pour donner une idée farouche et troublante de la beauté.

L'autre pan de l'horizon recueille en douceur les reflets apaisants de cette lutte. Des nuances de gris, de mauve, de rouge presque sanguin viennent offrir un havre de tranquillité et l'assurance que, si une guerre terrifiante peut surgir comme une mauvaise surprise, la paix saura toujours y puiser les forces nécessaires à sa régénération.

Guy a allumé une cigarette et sorti sa télévision portative du sac posé sur le siège du passager. Il n'est pas loin d'une grande ville, et les images apparaissent immédiatement. Le présentateur du journal du soir détaille les tenants et les aboutissants officiels d'un conflit armé. Les morts ne se comptent plus. Les pays occidentaux sont intervenus à temps pour éviter le pire. À présent que la démonstration de leurs équipements militaires a convaincu la terre entière, il va falloir reconstruire. Guy a la fièvre. Il monte le son.

Les images des candidats à la prochaine élection défilent les unes après les autres. Des analystes font des pronostics. Guy allume une autre cigarette. Il attend. Ses mains glissent sur le volant pour mimer l'apparition d'une série de virages en épingle. Il appuie sur le bouton qui fait se relever automatiquement la capote de la voiture. Mais dès qu'il sent l'air du bord de mer, il frissonne et commande au toit amovible de s'abaisser. Ensuite il joue avec les rétroviseurs.

«Nous allons aborder à présent la page culturelle de ce journal avec le cinquième reportage de notre série "L'art contemporain dans la cité", qui va nous entraîner dans les coulisses d'une luxueuse et très ancienne maison dans laquelle passent tous les chefs-d'œuvre de demain. Un reportage de notre collaborateur Yvon Guétarec.»

Guy s'est tourné précipitamment vers sa télé. Il fixe l'écran comme s'il venait de voir apparaître Dieu lui-même en la personne du présentateur. La cigarette qu'il tenait entre ses lèvres tombe. Il crie. Recule le siège au maximum, trouve le mégot qui a tout juste commencé à dessiner un petit cercle sur la moquette et, sans lâcher l'écran des yeux, l'écrase dans le cendrier.

Il tape des pieds dans un accès d'excitation irrépressible. Ses baskets argentées à semelles compensées rebondissent toutes seules. Il n'a aucun sens du rythme. C'est une cacophonie d'enfant surexcité qu'il tambourine contre l'habitacle enfumé. Le reportage commence. Yvon Guétarec a filmé l'extérieur de la prestigieuse salle des ventes. Le vieux bâtiment est magnifique avec ses airs de palais des Médicis, son marbre, ses statues et tous ces gens bien habillés. Guy s'est mis à taper sur le tableau de bord puis sur le volant et aussi sur la télévision. Il s'énerve de plus en plus. Un mouvement de caméra nous rapproche de la porte d'entrée et, ça y est, on entre. Guy sort une cigarette qui se casse en deux entre ses doigts. Yvon Guétarec rappelle l'histoire de la maison et de ses actuels dirigeants.

Guy arrête tout à coup de faire son remue-ménage. Il se tient immobile, les yeux figés sur l'écran. Il retient son souffle. Encore. Encore.

«Et nous allons rencontrer maintenant les membres du personnel de la salle des ventes, des gens comme vous et moi, mais dont l'art illumine les gestes de tous les jours.» Le journaliste se tait, la caméra opère un tour d'horizon dans le hall d'entrée. «Monsieur Guy Lafourche, quelle sensation cela fait-il de travailler dans ce temple de l'art contemporain?»

Guy hurle en relâchant en même temps tous les membres de son corps qui se répandent dans la voiture dans des mouvements contradictoires. Il vient d'apparaître à l'écran. Il est plus petit que le journaliste, a les cheveux coupés court, porte un pantalon argenté, des baskets argentées, une chemise impeccablement blanche, une cravate représentant une image fractale et, bien sûr, des lunettes en plastique épais, rectangulaires et de couleur verte. «C'est une chance incroyable de travailler ici. Les œuvres et les hommes qui les font, c'est-à-dire les artistes et leurs admirateurs, sont tous tendus vers cette recherche éternelle de la beauté et de la vérité, qui sont les deux facettes d'une quête identique pour laquelle les hommes n'ont pas fini de vivre.»

Guy a saisi la télévision à deux mains et l'a calée sur ses genoux, entre ses cuisses. Il s'écoute parler et sourire à la caméra en caressant le poste avec tendresse puis en le faisant aller et venir de plus en plus énergiquement. Quelle prestance, quelle aisance, quelle classe! Il est impressionné par son propre discours. Il l'avait préparé soigneusement. Et il n'avait pas dormi pendant une semaine pour l'apprendre par cœur. Ses efforts sont récompensés, et comment! Il n'entend plus son image qui gesticule, il s'est mis à chanter et à danser sur place en serrant le poste toujours plus fort. Il finit par pousser un cri et s'aperçoit que la télévision s'est éteinte.

Le reportage touche à sa fin quand il rallume. Guy est dans tous ses états. Il s'est affalé sur son siège et soupire d'aise. Des images de gloire fusent dans sa tête. Il se voit tous les soirs sur les écrans des télévisions de la terre entière. Il parle et tout le monde l'écoute avec attention. Il parle et, même, il agit. Car on saura comprendre qu'il a quelque chose d'important à dire, quelque chose de si énorme que l'on s'étonnera de ne pas y avoir pensé plus tôt. Guy sait. Les gens ne l'écoutent pas assez. Pourtant tout est simple, ce sont tous ces peuples qui ne savent pas écouter ou à qui on explique mal le problème. Mais lui, il saura. Il le sait et l'a toujours su. Il ne tient qu'à eux de le laisser le leur expliquer. Eux aussi, après, ils sauront.

La veille, Guy a eu une soirée très agitée. Il a terminé sa journée de travail dans un état fébrile. Sa fidèle deux chevaux rouge et jaune l'attendait sagement. Il a sorti la clé de contact en traversant le parking souterrain. La voiture démarre sans protester. Il met sa ceinture de sécurité, allume la radio pour lui faire ingurgiter une cassette de Ministry. Il lui faut du fort, du motivant, de la crème de *speed*. La route défile à toute allure. Les feux orange saluent son passage. Il rejoint l'autoroute qui ceinture la métropole. Toutes ces voitures qui tournent dans leur manège incessant le rassurent. La vie est là. On ne se parle pas. Pas parce qu'on n'a rien à se dire, mais parce que cela suffit de rouler ensemble. Les mots n'ajouteraient pas grand-chose. Les carcasses se mêlent, se bousculent parfois, poursuivent leur course jusqu'au bout.

Guy fixe intensément l'asphalte. Des pensées s'entrechoquent dans son esprit. Elles se faufilent dangereusement les unes entre les autres, se font des queues de poisson, grillent les feux en insultant les agents de circulation outrés qui sifflent et gesticulent sans entrain. Trouver la bonne route. Il sue à grosses gouttes sur le front de ses incertitudes.

Trash. Il doit voir Trash. Il n'est pas allé s'enfermer dans sa tanière depuis un sacré bout de temps. Mais la dernière fois il lui a refourgué de l'herbe pourrie. C'est ça, les amis. Toujours la même chose. On se connaît depuis longtemps et on se fait une petite crasse, en passant, histoire de voir si l'amitié sera assez forte pour résister à une de ces brouilles que l'on n'oserait pas faire à son pire ennemi. Et Guy ne l'avait pas revu depuis près de six mois. Il était sûr pourtant que Trash n'avait pas bougé d'un pouce. Entre l'aide sociale et le deal de hasch, il était coincé dans une souricière. Son appartement, sa bouffe, ses déplacements. Ce n'est pas demain qu'il pourrait passer ses journées à retourner ses joies et son désespoir avec un travail payé au salaire minimum. Ce n'est pas le genre de gars à se réinsérer.

Trash gueule : «Entre!» La porte claque dans un courant d'air. «Qui c'est?» Guy ne dit rien encore en avançant au milieu des reproductions de tableaux, des tentures et des bibelots qui vont du masque de bois où hurle un damné multicolore au katana reluisant, en passant par une collection de chapeaux et de couvre-chefs en tous genres; de ceux qu'affectionnent les têtes des héros de certains westerns, ceintes de drapeaux américains, à ceux des têtes d'autres westerns, avec des plumes splendides, jusqu'aux casquettes, gapettes et sombreros qui, comme des touches de couleurs, illuminent par endroits les murs de l'appartement. Trash éclate d'un énorme : «Alors, ma grande, t'es pas morte?» Guy sourit pendant une quinzaine de minutes et il éclate même d'un rire en cascade brutale après avoir fumé. Mais quand son hôte lui annonce que non, des savonnettes de deux cent cinquante grammes, il n'en a plus, il s'effondre dans une blancheur impressionnante.

Ils sont installés devant le poste de télévision. Le journal du soir se termine. Guy prend la télécommande et monte le son. Le quatrième reportage consacré à «L'art contemporain dans la cité» commence. On annonce que le reportage du lendemain aura lieu là où Guy travaille. «Mais alors, tu vas passer à la télé, mon pote!» Il hausse les épaules. Il a vraiment l'air d'être au trente-sixième dessous et de s'apprêter à descendre de quelques de degrés supplémentaires. Trash le regarde, sort son téléphone et commence à appeler ses amis.

Le temps passe. Guy regarde un navet lardé de publicités. Trash annonce, au bout d'une heure de blagues, d'engueulades, de menaces et de rires, que la partie n'est pas gagnée. «Les seuls qui peuvent peut-être fournir sont des malades mentaux. Les boulons ont sauté. Quand tu deales avec eux, faut s'attendre au pire. T'as le fric au moins?» Guy sort une liasse de billets. Il a de quoi payer le prix fort, sans rabais. «C'est vraiment urgent?» Guy est sur le point de verser une larme. «T'as pas fait de conneries au moins?» Il hausse les épaules, ce mouvement lui servant de langage depuis que le monde s'est ligué contre lui. «Bon, on y va alors.» Il lui saute au cou «Oh Trash! Tu es merveilleux, je ne sais pas comment je pourrais te remercier.» «Me colle pas comme ça, sale pédale.» Trash va chercher un petit coffret duquel il sort deux automatiques. «Dans ce genre d'aventure, il vaut mieux être bien équipé», affirme-t-il. Trash lui donne deux chargeurs. «Allez, amène-toi.» Guy reste en place : «C'est qui, ces mecs?» demande-t-il avec une légère appréhension. «C'est la bande des sœurs jumelles», dit Trash en baissant les yeux.

Guy s'enfonce dans le sol, perd toutes ses couleurs puis devient rouge comme une b... La route qui s'est ouverte soudain devant lui le met en transe. La vitesse est trop rapide. Les barrières de sécurité jalonnant les virages que prend le goudron ne lui inspirent pas confiance. Pour l'instant il a le contrôle des opérations, mais qui sait si dans une seconde le véhicule ne va pas lui échapper? La mort est-elle si effrayante? Il pensait être à l'abri des déconvenues et voilà maintenant qu'il n'est plus sûr de rien. Est-il prêt à pousser la machine à bout, à sacrifier ce qu'il a de plus cher pour parvenir à ses fins? «Mais enfin, Trash, tu es dingue, jamais je ne pourrai…»

Trash rit de bon cœur. «Allons, mon poulet, tu sais bien qu'il faut être deux pour les rencontrer. Et rien n'est sûr. Si ça se trouve, on va faire tout ça pour rien. Moi, je dis : soit tu veux, soit tu veux pas; à toi de choisir», dit-il, sans marquer par aucune nuance de quel côté il ferait pencher la balance à la place de son ami. Il le laisse réfléchir et vaque à ses occupations.

Guy vient poser une main sur son épaule : «Tu sais très bien que je n'en serai pas capable», affirme-t-il, penaud, en baissant la tête vers le sol avec un mouvement large des deux mains vers l'extérieur. Trash sourit : «Si c'est ce qui te fait peur, t'inquiète pas, mon gars, j'ai pensé à tout.»

Ils roulent en direction des pires quartiers de la ville. Des maisons à moitié détruites et des voitures brûlées parsèment cet endroit inquiétant comme les cadavres d'un champ de bataille. À chaque coin de rue on croit apercevoir une pute ou un dealer, un mec égaré qui se fait tabasser à mort. Au milieu de gigantesques tours pour pauvres, un feu brûle, des tambours résonnent. La lune est pleine ce soir et une grande fête a été organisée. Le début de la soirée a vu s'exhiber des groupes de musique subventionnés par l'État, mais à présent les lieux sont envahis par un rassemblement qui rappelle un groupe de bédouins au milieu du désert ou quelque tribu primitive qui, grâce à la découverte du feu, se prend pour le maître de l'univers.

Trash klaxonne en voyant un homme isolé qui se cache dans l'ombre comme un guetteur. «Salut, Bern, tu me gardes ma tire, je vais voir les sœurs.» Bern les regarde sortir et éclate de rire en reconnaissant Guy. Trash ne peut s'empêcher de sourire. Puis tout va très vite. Deux hommes très grands, très musclés, l'arme à la ceinture, viennent les chercher, les emmènent vers l'une des tours qui ceignent la fête. Ils descendent des escaliers, se perdent dans un dédale de couloirs sombres où fuient des rats et les chats qui les poursuivent. Trash sort une pastille d'un étui : «Prends ça, couillon.» Guy le regarde et avale sans un mot la drogue qu'il ne connaît pas, mais dont il redoute les effets.

Le groupe débouche tout à coup sur une portion de couloir très éclairée. Deux hommes gardent une porte. Ils les regardent approcher puis se tournent l'un vers l'autre, se tapent les paumes puis les poings fermés, alternativement, dans un enchaînement rapide et codifié. Puis ils rient. «Waou! Mais qui vient nous rendre visite, LA brute et le truand, c'est un grand jour, remercions Jah et nos Sœurs pour leurs bienfaits!»

Guy se contente de baisser la tête. Trash leur demande audience auprès des sœurs. «Vous connaissez les règles, pour avoir une audience, il faut commencer par le commencement.» Ils leur remettent leurs armes et avancent. Trash regarde sa montre et demande à Guy s'il ne sent rien de particulier. Celui-ci paraît pétrifié par la peur et a du mal à mettre un pied devant l'autre. Non, il ne sent rien.

Les gardiens s'écartent, les portes s'ouvrent, les deux visiteurs avancent. Un long couloir d'ombre entrecoupé d'une série impressionnante de portes leur fait face. Les deux premières sont ouvertes. Les amis s'arrêtent. Les pièces symétriques baignent dans une chaude lumière. Un amas de coussins, des tentures, de l'encens musqué, des litanies sourdes et sensuelles enveloppent les silhouettes des deux femmes présentes dans les deux pièces. Elles attendent, comme absentes.

Trash se tourne vers Guy : «D'ici trois minutes, tu vas avoir l'érection du siècle. Je ne t'envie pas, ça va être pénible et très dur, affirme-t-il en riant, à l'attaque, mon pote, tu vas voir, c'est pas si terrible que tu crois, et puis c'est toi qui l'as cherché, pas vrai?»

La porte se referme. Il est en enfer. La femme lascive se retourne sur les coussins. Ses formes parfaites appellent à l'amour. Il est raide comme un piquet. Il ferme les yeux, se souvient de la raison de sa présence ici, reprend des couleurs et soudain, par surprise, en contemplant cette femme magnifique qui s'impatiente, il sent monter dans son slip une érection formidable.

Trash conduit et Guy se désespère, le visage dans le vent, par la fenêtre.

— Elles ne pouvaient te fournir la savonnette que demain soir, tu peux pas leur demander l'impossible, pas aux sœurs.

— Les salopes.

— Ne sois pas injuste, elles font du commerce comme tout le monde.

— Les salopes.

— J'ai peut-être l'air d'un demeuré, mais j'ai compris.

Silence.

— Et au fait, c'était comment?

— C'est malin, moi, je suis dans une merde pas possible et toi, tu me fais chier.

— Allez, dis-moi comment c'était. Elle a bien marché ma pilule miracle, on dirait, sinon je t'aurais pas revu.

— Oui, elle a bien marché ta putain de pilule, et je vais même te dire, j'ai pris un pied monumental. Voilà, t'es content?

Silence.

— Au fait, c'était quoi cette pilule?

— Secret-défense.

— Fais pas chier.

— Bon, d'accord, mais tu vas me faire la gueule quand je te l'aurai dit.

Ils arrivent en bas de l'immeuble de Guy, qui sort sans entrain de la voiture. Il est quatre heures du matin et son moral est aussi bas que la lune qui s'apprête à disparaître.

— Merci, Trash, c'est vrai, je vais pas te faire un dessin, c'est sympa d'avoir essayé. Mais tu vas me dire ce que c'était que ce cacheton, oui ou merde?

Trash enclenche la première et, avant de démarrer, dit :

— Je sens que je ne te reverrai pas de sitôt, mais bon, tant pis. Ce truc de la mort qui tue, eh bien, mon pote, c'était un putain de cachet d'aspirine!

Et il démarre en éclatant de son gros rire sans pitié ni remords. Guy demeure sidéré sur le trottoir. Il fixe encore l'endroit où la voiture se trouvait vingt secondes plus tôt. Ses yeux sont exorbités, sa mâchoire inférieure pend comme une imbécile. Il la referme, passe la main sur son entrejambe et rentre chez lui, la tête pleine d'interrogations.

Guy gare sa vieille deux chevaux dans son parking souterrain. Il sort dans un nuage ensommeillé qui a mauvaise haleine. Il entre dans le bâtiment. Son costume gris anthracite lui paraît plus étroit que d'habitude. Personne ne traîne dans les couloirs à cette heure-ci. C'est à lui de faire l'ouverture. Le gardien de nuit lit le catalogue de la vente importante qui se déroulera tout à l'heure. C'est un étudiant des Beaux-Arts. Il affirme qu'un vieux monsieur portant une casquette de chauffeur est venu un peu plus tôt et qu'il attend dans un fauteuil devant la machine à café. Guy se demande quel souci supplémentaire il va décrocher aujourd'hui.

L'homme est assis sagement, sa casquette sur les genoux et ses mains sur les cuisses. Quand il voit Guy approcher, il se lève précipitamment, remet son couvre-chef puis l'ôte à nouveau dans un mouvement gêné pour prononcer un bonjour poli et discret.

— Monsieur, je…

Il s'arrête en pleine phrase et regarde autour de lui. Il demande s'ils ne peuvent pas aller discuter dans un endroit tranquille. Guy le précède sans joie et quand il a refermé la porte de son bureau, il se retourne vers le chauffeur sans prononcer un mot. L'homme porte un costume luxueux. Ses mains se sont enfin laissées aller à torturer sa casquette alors qu'il tente de maintenir de la dignité dans sa pose.

— Voilà, je me permets de venir solliciter une faveur de votre part. Mon employeur désirerait admirer la collection d'œuvres qui sera mise en vente cet après-midi. Il n'a pas pu venir plus tôt et, étant intéressé par une pièce importante, il souhaiterait… enfin vous comprenez… il aimerait pouvoir… si c'était possible…

— C'est formellement interdit, coupe Guy sans rien ajouter.

Le chauffeur blanchit tout à coup. Il affirme que son patron est un cas spécial, que c'est vital pour lui et qu'il risque de tomber dans un état de dépression très grave s'il ne peut contempler l'œuvre en question. Guy dit que c'est impossible et qu'il n'y a rien à faire. Le vieil homme prétend n'avoir jamais fait de démarches semblables. Il est très gêné, lui qui va partir à la retraite dans deux mois, il se permet d'insister. Il se dit même prêt à l'implorer à genoux. L'affaire est capitale.

— Et puis, si vous le désirez, peut-être que nous pourrions… comment dire… parvenir à un arrangement…

Il relève les yeux et demeure immobile pendant de longues secondes qui s'étirent jusqu'à leur point de rupture. Le costume fait sur mesure du chauffeur provoque dans l'esprit de Guy une série d'opérations compliquées au bout desquelles un sourire large et avenant naît sur son visage.

Ils attendent tous les deux devant la machine à café. Le gardien de nuit indique à l'homme qui vient d'entrer le parcours à suivre. Il ne prononce pas un mot quand il les rejoint, se contentant de sortir un paquet de la taille d'un petit livre de sous son manteau. Guy les entraîne dans les couloirs. Il ouvre des portes comme si elles pesaient des tonnes. Il déclare qu'ils ont exactement quinze minutes devant eux, pas une de plus. Le boîtier de programmation de l'alarme émet de faibles sons aigus pour signifier qu'il se met en repos.

Il écarte les bras d'un geste théâtral et invite les deux hommes à avancer. Le chauffeur ne fait pas un geste. «Oh vous savez, moi, l'art contemporain, ce n'est pas ma tasse de thé», affirme-t-il avec un sourire. L'homme arrivé depuis peu s'avance, sans l'ombre d'une hésitation. Il est venu chaque fois qu'il l'a pu et sait parfaitement où se trouve la toile. Les pans de son manteau s'écartent dans les mouvements qu'il enchaîne rapidement. De nombreuses œuvres se trouvent autour de lui. Des choses somptueuses, des croûtes immondes sur lesquelles des spéculateurs peu scrupuleux font courir des rumeurs folles pour en démontrer ou en détruire la valeur, tout est mêlé dans un inextricable foutoir. C'est bien ici que la réalité de demain prend forme, au milieu de ce mélange d'élans sans envol, de grâce surprenante et de ratages chaotiques au sein desquels les spécialistes, les acheteurs et les curieux graveront les voies nouvelles que leur goût parcourra avec plaisir ou en se pinçant le nez. Les chaussures de l'homme résonnent sur le sol. La toile qui l'intéresse se trouve à une vingtaine de mètres et ce court trajet suffit à ses pas pour faire vibrer l'air de toute la ferveur qui l'habite.

Guy a sorti le paquet qu'il vient de recevoir. Il l'ouvre et, à l'aide de son briquet, il fait chauffer un bout de ce qui lui apparaît comme une savonnette de marocain. L'odeur se répand autour de son visage et provoque un petit frisson dans sa colonne vertébrale qui remonte jusqu'à son cou et lui fait remuer la tête de gauche à droite comme s'il venait de voir le diable en culottes courtes. Le chauffeur, indifférent à tout maintenant que son patron a eu ce qu'il voulait, sort une cigarette brune et demande un cendrier.

Ils en grillent une ensemble avec un café que Guy est allé leur chercher. L'amoureux de l'art se trouve devant la toile et n'a pas esquissé un geste depuis dix minutes. Que représente-t-elle? Dans la situation où se trouvent les trois hommes, cela importe peu. L'élément le plus étonnant est cette fascination intense de celui qui la contemple. On pourrait penser qu'un air revigorant souffle sur son visage. Une paix admirable embaume ses traits. Les couleurs et les formes ont envahi son esprit pour l'inviter à s'ouvrir à l'inconnu. Il est parti. Des notions de peinture ont pu s'égarer par là, chatouiller quelques synapses sensibles et rappeler d'autres œuvres pour le plaisir desquelles on sacrifie un après-midi de temps à autre. Mais le chemin s'est poursuivi vers l'intérieur. Les visions se sont approchées avec prudence, jouant des coudes, s'encourageant mutuellement à laisser aller leur trop-plein de joie. L'une d'elles a avancé un pied, puis l'autre, dans une lente tentative de pas. Le reste a suivi. Un rock, une samba, un pogo ou un slow, elles se trémoussent toutes à qui mieux mieux. Et quand on a commencé, pourquoi interrompre le plaisir si rare de voir couler la masse longtemps contenue des bons moments et de ceux qui laissent des empreintes amères? La parade s'est enflammée petit à petit pour brûler dans un gigantesque charivari.

La folie illumine le visage de l'homme. Son corps a beau demeurer dans une immobilité de statue de plomb, on n'en voit pas moins des courants déréglés le prendre et l'entraîner dans leur course périlleuse. Guy demande au chauffeur si ça arrive souvent à son patron d'avoir cet air halluciné.

— Depuis quelque temps, c'est terrible. Je ne le reconnais plus. Il se met en transe sans raison. Et de ces colères à tout casser dans la maison. Quand vous le croisez, il est tranquille, et le moment d'après il insulte tout le monde, se jette sur les portes pour les fermer parce que, d'après lui, on en veut à sa vie. C'est un enfer, je ne sais plus quoi inventer pour le tenir tranquille.

Pendant ce temps, les visions continuent leur danse. Et c'est une araignée qui se détache du plafond pour faire s'envoler un cri qui résonne encore. Là on reconnaît un homme allongé qui pleure. C'est un ami. N'est-il pas heureux de vous revoir? Son cou porte des marques de strangulation. Mon Dieu! ce n'est tout de même pas moi qui l'ai mis dans cet état. Mais dites quelque chose, ne le laissez pas comme ça, il va craquer.

Soudain, le silence. Elle avance avec son regard de braise dans une marche somnambulique. La féerie envoie ses bras miraculeux dans tous les sens. Des anges volettent autour. Ils se cognent à votre tête. Vous ne pouvez pas les chasser. Des anges! tout de même : un peu de respect. Et ils se cognent comme des bêtes malades contre votre crâne qui va éclater. Ah! les sales monstres!

Un coup de feu explose dans le tourbillon. Le vent souffle d'un air rageur. Le vide déploie ses ailes. Vous êtes seul. Personne ne peut rien pour vous. Le délire qui s'enfuit vous abandonne dans un grand trou noir. Il y a quelqu'un?

— Monsieur! Monsieur!... venez, nous devons partir, c'est l'heure.

L'homme descend sans protester. Le chauffeur lui tient le bras. Guy regarde sa montre d'un air inquiet.

— Magnez-vous, tout le monde va débarquer dans moins de cinq minutes. Allez!

Il les bouscule un peu, aide le chauffeur, prend l'autre bras et tire dessus. Quand il les a enfermés dans l'ascenseur en appuyant sur le bouton de l'étage du parking souterrain, les portes les font disparaître. Guy souffle un grand coup et, d'un air décidé, repart vers ses quartiers en exultant.

Les enchères débutaient à treize heures. Tout le monde était prêt. Les badauds, ayant lu ou entendu, on ne sait comment, que cette journée était tout à fait particulière, se pressaient en grand nombre. Un journaliste devait réaliser un reportage pour une chaîne nationale. Cette information avait drainé à elle seule plus de monde que si un meurtre devait être commis.

La foule, que les hommes de la sécurité auraient aimée moins nombreuse, les enchérisseurs de tous poils, ceux qui venaient acheter et ceux qui venaient mettre de l'ambiance – il y en a –, et les vendeurs, plus ou moins nerveux, formaient un mélange saugrenu. On attendrait les enchères pour voir si cet homme en costume trois-pièces était vraiment riche et si cet autre, en jean et baskets, allait vraiment relancer la partie vers des sommes inaccessibles au commun des mortels.

Où prend-elle sa source, la folie qui s'empare des hommes à la vue de ces chiffres sans autre valeur que celle fixée par un marché qui varie autant que l'humeur d'un démon? On est toujours surpris de la pauvreté du regard porté sur les objets, souvent magnifiques, que l'on peut rencontrer dans une salle des ventes bien achalandée. Une distance s'établit forcément entre eux – qu'est-ce qu'un objet? – et la somme à laquelle ils sont finalement vendus. On n'a pas idée de leur beauté. On n'a pas idée des souffrances qui les ont vus naître ou de la difficulté à se les procurer. Leur histoire est un fantôme que font disparaître des billets de banque. Leur beauté? Tout le monde s'en fout. À part quelques acheteurs convoitant les véritables richesses de ce monde.

Un peu plus tôt, alors que la cohue naissait, Yvon Guétarec est entré dans la salle des ventes avec un air détendu. Il a jeté des regards sur les lieux en se disant que la journée commençait bien. Son reportage de routine ne lui fait ni chaud ni froid. Il consacre cinq minutes à repérer l'endroit qui lui conviendra le mieux pour filmer les ventes les plus importantes. Il retourne ensuite dans sa belle voiture décapotable chercher les piquets et les panneaux de circonstance. Si la foule débarquait, une pancarte avec le nom de sa chaîne de télévision suffirait à lui préserver un espace de tranquillité. Il a d'ailleurs sympathisé avec les gars du service d'ordre; il est donc sûr de ne pas se retrouver paumé au moment fatidique. Sa carte de presse bien en vue, il aperçoit une secrétaire très mignonne qui vient chercher des cafés.

— C'est une belle journée, vous ne trouvez pas?

Elle rougit un peu et demande si vraiment il fait un reportage sur les ventes d'aujourd'hui. Yvon sourit largement, sort sa carte de visite et prononce quelques paroles historiques, au cas où :

— On pourrait en reparler calmement, devant un bon verre?

Il poursuit ses déambulations jusqu'au moment où il se dit que, tout de même, il faut bien se mettre au boulot.

Guy est anxieux. Il veut trouver Régis au plus vite. Et cette saleté d'assisté social demeure introuvable. Il fait une prière à son saint et, au détour d'un couloir, Régis apparaît dans ses habits de manœuvre.

— Salut, Régis, il faut qu'on parle.

Régis reste sur place. Sa tête mal réveillée tente par tous les moyens de rapprocher le yin du yang.

— Tu vas te payer une belle journée de vacances, mon pote! lance Guy, euphorique.

Régis met les mains dans ses poches et demande s'il a le matos. Guy l'entraîne dans son bureau où autant de personnes importantes ont rarement transité – c'est un signe, se dit-il. Régis garde les mains rivées à son jean. Guy va fermer sa porte à clé, puis il dit :

— Tiens.

La plaque de haschich tombe sur la table avec un bruit mat. Régis met quelques secondes à réagir, puis ses yeux signifient qu'il a compris. Il prend la plaque, la hume avec un air de connaisseur. Elle vient d'être coupée, sur tous les bords, donc elle est fraîche. Guy, qui, un peu plus tôt, s'est servi en en découpant un petit centimètre sur tout le tour, souffle comme un bœuf.

— Alors?

Régis ne dit rien. Il tente de paraître suspicieux, mais son mauvais jeu de comédien trahit sa joie. Il tend un jeu de clés à Guy dont la méfiance se réveille soudain comme un mauvais souvenir.

— Tu es sûr que la caméra est dans le local et que le local est fermé à clé et que tu possèdes la seule clé disponible ici?

— Oui, et j'ai, tout à coup, une sale bronchite. Je rentre à la maison, affirme-t-il.

— Soigne-toi bien, dit Guy qui s'est mis à rire comme un imbécile.

Yvon Guétarec regarde sa montre et se dit que, ma foi, il va bien falloir se décider à sortir la grosse Charlotte, sa caméra. Il dirige ses pas vers une porte qui le conduit dans les quartiers réservés au personnel de la maison. Le personnel proprement dit est agité. Tout le monde court dans tous les sens et Yvon se demande si un peu de rationalité ne permettrait pas d'économiser une grande partie de l'énergie gaspillée autour de lui. Il sifflote une mélodie dont les paroles lui paraissent en accord avec ses pensées. «Dans la vie faut pas s'en faire, fredonne-t-il, moi, je n'm'en fais pas.» Quelle sagesse! Quelle vision pénétrante de la vie que celle de ce reporter aguerri!

Il a parcouru de nombreux couloirs et se trouve devant la porte du local où, la veille, il est venu entreposer la grosse Charlotte. Elle est fermée à clé et cela le rassure. Il revient sur ses pas, jusqu'au comptoir derrière lequel trône la standardiste et réceptionniste de cet asile de fous.

— Salut, dit Yvon, en bombant le torse afin de rappeler qu'il n'est pas n'importe qui et qu'elle est censée le reconnaître. Je cherche Régis, il doit m'ouvrir son local à ordures, ma grosse Charlotte est coincée là-dedans depuis hier soir.

La standardiste ouvre de grands yeux en tournant la tête dans la direction d'Yvon. Elle est en train de signer un bordereau qu'un livreur vient de lui tendre, son téléphone coincé contre la joue – avec dix appels en attente. Un marrant : «Me manquait plus que ça», se dit-elle en mimant un «Hein?» avec les traits de son visage qui demeurent inoccupés.

— Charlotte, c'est mon outil... ma caméra, quoi!

Elle se demande un instant si ce rigolo travaille vraiment pour une grande chaîne de télé et consulte son agenda :

— Désolée, Régis est malade, il ne reviendra qu'après-demain.

Yvon n'en croit pas ses oreilles. «Mais... ma Charlotte», articule-t-il pour lui-même.

— Hé ho! lance-t-il en se jetant sur le comptoir comme une bête féroce, j'en ai besoin de ma caméra, je tourne à treize heures. Pas de blague, c'est pour le journal de ce soir. Vous allez m'ouvrir ce putain de local et tout de suite, bordel de merde!

— Mais c'est qu'il s'énerve. Je ne les ai pas les clés, moi, et je ne suis pas payée pour vous servir. J'ai du boulot. Allez trouver un cadre, ils ont des passes. Allez, du vent... ou j'appelle le gardien.

Guy se trouve seul dans son bureau. Il se lève avec d'infinies précautions et s'approche de la porte qu'il referme à clé. Ses mains tremblent. Il ouvre lentement le placard où se trouvent ses effets personnels. Depuis une semaine, depuis qu'il sait qu'il doit se préparer, il a placé pas mal de matériel là-dedans. Il regarde avec émotion la feuille scotchée à l'arrière de la porte. Il la lit mot à mot puis ferme les yeux.

Quelles sont les visions suffisamment puissantes pour provoquer chez un homme des soupirs d'aise, des petits battements de bras – comme s'il avait appris à voler – et de ces décontractions dans les cervicales qui font rêver? Il suffit à Guy de se réciter intérieurement les phrases sur lesquelles il a sué à grosses gouttes ces derniers jours pour les retrouver.

Dans le placard se trouve également un sac de voyage. Il le fait glisser avec de très grandes précautions. Sur les trois sièges dont il dispose, il prend garde de froisser les vêtements qu'il sort – comme des reliques – de son sac. Son pantalon argenté lui a coûté les yeux de la tête dans un magasin branché de la ville.

Impossible d'y échapper. Quand on tient la chance de sa vie, il ne s'agit pas de faire dans la demi-mesure.

Il avait eu plus de chance avec ses baskets, argentées elles aussi, mais qu'il avait dénichées dans un dépôt minable avec un bon rabais. Il les prend dans ses mains, les porte au-dessus de sa tête et se met à tourner doucement sur lui-même. Ces baskets sont parfaites. Leurs semelles sont compensées, ce qui le rehausse d'une bonne dizaine de centimètres au-dessus du niveau de la terre, et leur texture, plus luisante que de l'aluminium, lui assure une touche discrète, mais incomparable, de luxe.

Il se change rapidement, remet ses lunettes vertes et contemple un moment la magnifique cravate qu'il embrasse rituellement. Sa mère la lui a offerte pour son dernier anniversaire. Une image fractale y répand son délire dans des couleurs multiples et un peu mal accordées. «Tant pis, se dit Guy, il faut bien que je fasse un signe à mes parents, et puis maman va être contente.» Il s'en faut de peu qu'il ne verse une larme à l'idée de ses parents émus et enfin rassurés quant à la réussite sociale de leur petit.

Yvon Guétarec parcourt les couloirs à toute allure. Il a pris les habitudes de la maison et on lui fait des signes de connivence à présent qu'il s'accorde au milieu ambiant. Il ne répond à aucun signe et passe de bureau en bureau, de plus en plus rapidement et avec de plus en plus d'anxiété. Personne ne possède la clé dont il a besoin pour se sortir de cette situation ridicule. Son cellulaire sonne. Il le porte à son oreille machinalement en hurlant. Puis il s'arrête. Son patron hurle à son tour. Dans une heure, le ministre de la Culture va faire un crochet par la salle des ventes qui vient de recevoir des subventions. Il doit le mettre dans sa boîte et se magner de rentrer au bercail. Avec cette visite, son reportage prend de l'ampleur : s'il réussit les prises de vue du ministre, les bons points vont s'aligner pour lui sur le tableau d'honneur. S'il les rate, la situation ne sera pas la même.

Le patron lui a raccroché au nez. Yvon se trouve devant la porte du local. Il ne fait plus un geste. Ses paupières sont baissées. On pourrait penser qu'il médite. Il est tout blanc. Une flopée d'injures hante ses pensées, et des poings imaginaires s'abattent avec une violence inouïe sur Régis, le technicien qui est tombé malade, justement aujourd'hui. «Tu parles, il a pris une brosse hier et il s'est fait porter pâle par un médecin de ses amis pour cuver et repicoler tranquille», pense Yvon, sans une pensée compatissante pour Régis qui est peut-être vraiment malade. Au fond, qui sait? Cette pensée arrête Yvon qui se demande où il va pouvoir trouver un pied-de-biche pour ouvrir cette foutue porte.

Il se gratte la tête quand tout à coup il voit surgir un Martien argenté.

— Vous allez à un carnaval?

Guy n'entend rien. Il sourit de toutes ses dents. Sa main droite s'envole pour aller caresser le blindage de la porte du local.

— C'est du solide, ces portes, pas vrai?

Yvon Guétarec se demande s'il n'est pas le héros involontaire d'une comédie. Il se jette sur Guy en le menaçant de le tuer s'il ne lui ouvre pas immédiatement.

— Tout doux, mon joli, lance Guy qui se dégage comme si c'était à un assaut de lubricité qu'il faisait face. Venez, nous allons discuter. Mais donnez-moi d'abord les clés de votre magnifique voiture.

Yvon ne comprend plus rien. Le sens des paroles qu'il entend traverse sa cervelle sans pouvoir y imprimer une directive claire. Doit-il le frapper?

— Je vous les rendrai demain, c'est promis. Et vous, vous allez être bien gentil avec moi et arrêter de froisser mes vêtements. Je ne voudrais pas avoir l'air d'un clown ce soir quand je passerai à la télévision.

Répétitions

On s'était demandé, entre le salon d'un grand hôtel et une ancienne usine, ce qui conviendrait le mieux pour l'événement. On en avait longuement discuté. Les moquettes épaisses, les fauteuils profonds et la climatisation conféraient des avantages certains à l'hôtel. Surtout si l'on prenait en considération le public visé. En matière de théâtre, comme en d'autres domaines artistiques, les critiques, les mécènes, les spécialistes universitaires, les fonctionnaires de tous poils qui accordent souvent des subventions au gré de leur humeur ou des passe-droits dont ils peuvent bénéficier, en un mot tout ce qui peut décider de la survie ou de la fin précipitée d'une pièce est constitué d'un amas globuleux de personnes âgées. Les gens du troisième, du quatrième et même du cinquième âge ont un besoin impérieux de confort, ce que personne ne songerait à leur reprocher.

Si, dans la quête de la Vérité, on a pu vanter un certain retrait du monde agité de la civilisation ou des sens, il est absolument vain de prétendre ouïr répéter ces considérations dans le monde des arts. Le jugement artistique d'un spécialiste ne saurait faire l'économie d'une température agréable et d'une assise moelleuse. Que ce soit pendant ou après la représentation, les circuits de l'intelligence ne s'installent qu'avec difficulté dans les ornières de chemins boueux et préfèrent des pistes neuves et propres sur lesquelles les neurones pourront accélérer leur course avec aisance jusqu'à atteindre la vitesse fatidique dite de la satisfaction. On ne le répétera jamais assez, avec Diderot : une pensée est une petite catin qu'il faut savoir cajoler.

Le directeur du Théâtre de l'Autre avait passé sa soixantième année avec bonne humeur et dans une condition physique satisfaisante. Sa connaissance du milieu venait de le conduire à argumenter en faveur des réalités de ce monde. Lui reprocherais-je ses positions? Rappelons-nous les troubadours et autres jongleurs du Moyen Âge qui servaient une bonne couche de flatteries, dans leurs œuvres elles-mêmes, aux puissants dont les bienfaits les tiraient de la misère.

Face au directeur, l'auteur et l'interprète du rôle principal avaient bien conscience des limites de leur liberté. Toutefois la pièce était bonne, les applaudissements des spectateurs venus assister aux répétitions leur donnaient confiance. Et dans la logique même de l'œuvre, intitulée *Clarisse aux mille visages*, il était souhaitable de réunir les gens du milieu dans un endroit inhabituel.

L'auteur parvint à convaincre M. Laplanchette :

— Et puis, mon cher Jean, avouez que ce ne serait tout de même pas la révolution que de transporter nos amis dans cette usine, qui est propre et sera décorée d'œuvres d'artistes que vous aimez autant que nous. Votre théâtre est celui de l'Autre. C'est une belle occasion de lui donner un surplus de sens. Le public des connaisseurs appréciera la bonne surprise. C'est comme ailleurs, mais c'est différent. Nous allons organiser une rencontre physique avec l'autre. Jean, mes pièces ont du succès, offrons-nous cette fantaisie!

Cette apologie enflammée, saupoudrée d'ironie, brûla si vivement dans les paroles de Raphaël – l'auteur – que, tous les trois, lui improvisant au vent de ses désirs et eux les oreilles réchauffées par ce discours à la rationalité boiteuse, sourirent ensemble en en sentant la chaleur utopiste les émouvoir intimement. Leurs regards se croisèrent dans le désordre de la sympathie et ils rirent soudain de se découvrir si sensibles, comme l'adolescent de Gombrowicz, au problème de leur liberté.

La comédienne qui interprète le rôle de Clarisse est heureuse. Son auteur et amant est proche. Elle se tient debout au milieu du vaste hangar dans lequel les amoureux du théâtre se trouvent réunis, ainsi qu'au centre de l'attention générale. Ils s'approchent les uns après les autres pour la féliciter et être en contact pendant quelques instants avec le mystère de sa présence. La comédienne a prouvé qu'une partie d'elle-même renfermait cette héroïne terrible et stupéfiante qu'elle a interprétée, et elle en a retiré un étrange pouvoir de fascination sur ses semblables. Elle irradie de beauté.

Quelques heures plus tôt elle a arraché les spectateurs de leur fauteuil pour les couvrir d'illusions. Aussitôt ils l'ont suivie les yeux fermés à la recherche de leur désir. Un feu sacré a enflammé toute sa personne. Elle pourrait à présent réclamer les pires excentricités. Il lui suffit de lancer son regard dans celui de son interlocuteur et de rejoindre en elle cette identité qu'elle a découverte en jouant Clarisse. La magie opère immédiatement. Il revit en un éclair les scènes qui l'ont ému et s'y projette comme un animal dans un piège. Y était-il un double de l'héroïne, du héros ou de quelque personnage secondaire? Peu importe! Seul compte ce passage vers un ailleurs.

L'imprudent voyageur devient soudain un prisonnier. À peine franchies les portes mystérieuses, il connaît, hélas, son destin : la pièce est écrite une fois pour toutes. Il voit ce passé et cet avenir qui ne lui appartiennent pas, mais auxquels il sait qu'il ne peut échapper. Il va subir les pires tourments, être heureux, mourir peut-être, devenir un dieu ou vivre dans la misère : tout lui est bon dans ce qui lui permet de s'évader de sa condition actuelle pour se donner une seconde chance.

Un homme vient apporter un verre de vin à la comédienne et l'entraîne dans une conversation intense. Elle le connaît. Il est critique dans un important hebdomadaire et elle a souvent souhaité avoir son soutien. Il est enthousiaste et la couvre de compliments. Elle sait qu'il est volage, sourit et incline la tête pour lui plaire.

Elle est très attentive et concentrée. «Si je lui montre, se dit-elle, que sa tête de merlan frit me fait autant d'effet qu'un plat de tripes, il va me descendre dans son canard. Quelle misère! Si j'avais pu un jour m'imaginer que je le tiendrais, ce rôle-là, j'aurais éclaté de rire. Oui, je les aime tous, ces femmes et ces hommes qui sont mon milieu et ma famille et patati et patata. Reste que ce guignol me drague comme un malade. Où est Raphaël? Hé oui, c'est ça, tu as tout compris, je me suis fait piéger par ce gros ringard.»

— Vous avez été absolument splendide. C'est un beau moment de théâtre que vous nous avez offert. Et cette Clarisse, quelle femme! Vous êtes impitoyable. Je vous soupçonnerai à présent que j'ai vu qui vous étiez.

Le critique sourit largement et minaude dans les airs avec ses pattes de velours. Il est tentant de lire dans ses yeux pétillants les souvenirs attachés à ces fameux moments de théâtre qui l'ont à ce point marqué. Il est probable que c'est le début de la représentation qui lui a soutiré quelques larmes de crocodile. D'autant plus que son propre passé a de nombreux points communs avec celui d'un des héros de la pièce. Lui aussi a vécu à Barcelone et il a exécuté des toiles d'une certaine qualité, sans obtenir un succès suffisant à ses yeux. L'héroïne de *Clarisse aux mille visages* est un être diabolique, mais profondément bon. On se prête à des spéculations sans fin dans l'usine pour dégager un jugement convenable sur la question. Mais cela vaut-il la peine de s'y arrêter? Le bien et le mal sont très souvent inaptes à caractériser les situations les plus banales ou à expliquer le geste le plus anodin.

Délaissant ces pensées, le critique revient aux instants les plus paisibles de la pièce. Il s'est retrouvé là, dans son atelier, à peindre dans des délires colorés les aléas de son esprit. Il revoit sa Clarisse à lui. Elle fut d'abord son modèle. Et elle lui servit de tremplin pour partir à la recherche de son idéal. Mais petit à petit, l'art s'est vu rattrapé par des désirs plus charnels.

Un jour, il a travaillé avec acharnement sur sa chevelure. Les heures défilaient sans ordre. Elle s'est approchée pour se dégourdir les membres et juger du résultat dont le peintre doutait encore. Et ils se sont embrassés, là, devant cette fenêtre ouverte par les pinceaux sur un espace vibrant de bonheur.

Le soleil inonde cette scène avec ses rayons du soir. Le vieux plancher en chêne reluit. La lumière coule sur les pâtes du peintre, altérant leur couleur, le vert virant au jaune, le bleu au rouge. Mais les deux personnages n'y prêtent pas attention. Ils sont allongés et parlent à voix basse. Une profonde sérénité a envahi le théâtre, à ce moment de la pièce, pour saluer les deux acteurs qui venaient de disparaître à eux-mêmes.

Et l'ex-peintre devenu critique regarde l'actrice avec une émotion qui est tout sauf simulée. Sa réputation malheureusement le laisse dériver – seul – dans le sentimentalisme le plus nauséeux, s'éloignant d'abord en paroles, puis en pensées, et finalement de plusieurs mètres de l'actrice sans même s'en apercevoir.

Les jours suivants virent apparaître des articles vantant les qualités de la pièce. Voici l'un d'eux, dont le retentissement lui fut très bénéfique. Il parut sous la rubrique «Théâtre en lettres» d'un grand hebdomadaire d'art.

«Un certain nombre de lecteurs ont pu croire, jusqu'à présent, que les œuvres contemporaines ne m'intéressaient pas, moi qui, d'une autre génération, suis si vieux. Eh bien vous aviez raison. Du moins par le passé. Depuis hier soir, où un vent de folie m'a poussé vers la première du Théâtre de l'Autre, moi aussi je fais partie de ces illuminés par lesquels le scandale arrive. Vive le théâtre contemporain! Vive cette géniale actrice – j'ose le mot – dont le jeu admirable m'a soulevé de terre pour m'envoyer dans les étoiles!

On ne pouvait rêver plus à propos que le cadre de l'Espagne, patrie des arts, pour laisser se déployer le destin pitoyable d'un peintre en difficulté. Les décors de la pièce ont la sobriété des grands classiques et les jeux de symboles qu'ils suggèrent, parcourus des éclairages les plus audacieusement métaphysiques, dont les nuances de gris sont à la perfection ce que le sauternes est au foie gras, c'est-à-dire un complément indispensable, ont l'aisance de ces grands oiseaux aux ailes resplendissantes d'un soleil différent mais savoureux, sous lequel la peau de notre esprit peut emmagasiner des forces sans limite.

Ne m'en veuillez pas pour ces élans qui pourraient vous soutirer un sourire d'ironie. Je rattrape le temps où je ne savais pas. Il me faut en remettre un peu pour paraître sincère – et je le suis – afin de convaincre mes amis. Ils ne savent rien encore de ma métamorphose. Et pour être sûr d'avoir été bien compris, il me semble naturel de saluer à nouveau l'envergure somptueuse de la comédienne qui interprète le rôle de Clarisse. Monstres sacrés, méfiez-vous : la relève arrive les armes à la main.»

Le spécialiste n'y était pas allé de main morte et le succès fut aussi prompt que durable. On se bousculait pour arracher une paire de billets six mois à l'avance. Ah! quelle satisfaction pour ces techniciens du malheur que sont les gens de théâtre. La consécration totale, le bonheur sur grand écran, la joie comme s'il en pleuvait.

Elle n'a pas pu résister. Cela s'est passé quelques mois auparavant. Passé la lecture de la pièce et les premières répétitions, elle a réservé une matinée à l'achat de vêtements. Son personnage la fascine. Elle l'aime et elle l'adore, c'est de la vénération absolue. Raphaël s'était montré très nerveux après avoir achevé *Clarisse aux mille visages*. «Il est vraiment trop con, se dit-elle à présent en repensant à son attitude, lui d'habitude si à l'aise. Cet abruti a fait ce qu'il avait à faire, et c'est bon, mais quelle tarte!»

Raphaël était plein d'appréhension pour la raison suivante : il s'était laissé embarquer dans un genre de relation un peu expérimental entre sa future actrice et le rôle qu'il devait lui offrir, dans lequel on ne sait plus si l'on travaille ou si l'on aime, ces deux objets d'attention formant un tout lisse et opaque. Il s'avouait avec peine que, s'il avait du mal à travailler, l'esprit de sa compagne, lui, n'en avait jamais fini de tourner sur lui-même pour, parfois, s'inventer des rôles les uns après les autres mais, le plus souvent, pour les lui présenter avec toujours plus de détails, comme ça, en passant du salon à la cuisine.

Il franchit sans s'en rendre compte la frontière du supportable. Les douaniers l'arrêtèrent. L'amende fut salée. Et au bout du compte, malgré la surcharge de travail qu'il dut supporter, il comprit, inquiet, que le sentiment amoureux l'avait inondé et entraînait sa barque vers le fond. Une fois le rôle écrit, sa grande peur concernait ces deux femmes, la compagne et la collègue, qu'il souhaitait toutes deux préserver de la mort.

Mais la comédienne parcourt les trottoirs et traverse les rues, des sacs à la main, en scandant un nom : «Clarisse! Clarisse! Clarisse!» Sa joie est si profonde qu'elle ébauche souvent un pas de danse discret mais remarquable.

De ses sacs elle a tiré des vêtements, jupes et chapeaux. C'est fait, je les ai tous. Tous les costumes de son personnage, les mêmes que ceux imaginés par la couturière du théâtre. Des pantoufles aux talons hauts, du débardeur à la robe de soirée, en passant par les boucles d'oreilles. Elle se demande à présent si elle ne va les revêtir qu'à l'intérieur de leur appartement ou si elle se risquera à sortir dans ses habits de lumière. Pourquoi pas?

Les signes de sa lubie étaient apparus très tôt. Les craintes de Raphaël s'étaient dressées comme des troglodytes découvrant le feu, et avaient fui en hurlant dans leur profonde caverne.

— Raphaël, avait-elle murmuré, prévenante. Les répétitions se déroulent vraiment bien. Je m'amuse comme jamais.

— Mouui?

— C'est grâce à toi, quand même, si je suis heureuse!

— Et moi, je suis heureux de te voir heureuse.

— Oui, ça c'est très bien, mais, vois-tu, je voudrais me le mettre tout à fait dans la peau, ce rôle. Il faut que je devienne ta Clarisse. Pendant quelque temps, tout au moins.

— J'espérais que tu saurais la garder à distance.

Devant la figure soudain sombre de sa compagne, Raphaël tenta de se reprendre.

— Si tu préfères travailler de cette façon, vas-y.

— C'est que… j'aurais besoin de ton aide. Non, ne dis rien. Tu veux préserver de ton côté une distance avec les personnages de ta pièce, mais comment peux-tu penser qu'ils sont différents de toi et moi? Elle avait prononcé ces mots en s'énervant subitement, comme excédée par une idée qui paraît bête et qui agace depuis longtemps. Ils sont ce que nous sommes, où crois-tu être allé chercher leur visage et leur histoire?

— Tu ne m'auras pas comme ça. Même si je voulais m'identifier aux héros de ma pièce, je peux t'assurer que j'aurais du mal : tout ce qui se trouve dans mes écrits est un produit dérivé qui n'a plus rien à voir avec notre quotidien.

Raphaël baissa le regard.

— Crois ce que tu veux, moi j'ai besoin de plonger entre les lignes de ton manuscrit pour devenir Clarisse, un point c'est tout. Et je vais te dire, le plus beau cadeau que tu pourrais me faire, ce serait de m'oublier un peu. Regarde en moi ce qui est Clarisse et éloigne ce qui ne l'est pas. Je veux être Clarisse, je veux sentir les fleurs qui croisent son chemin, je veux trébucher sur la pierre de son angoisse. Je dois quitter ce monde pour l'incarner totalement et, à l'avenir, je veux que tu oublies mon identité; oui, à partir de maintenant, je suis Clarisse et personne d'autre.

Raphaël ne souriait pas en entendant sa compagne manifester cet attachement pour le monde fictif qu'il avait lui-même tiré du néant. Elle voulait tout quitter. Cette folie ne cessa plus de le hanter. Elle ne réagit plus du tout à son véritable prénom. C'était Clarisse ou rien. Il était déboussolé.

En quoi exactement son comportement différait-il de celui de ses héros? Le matin même il était allé assister à une répétition. Le décorateur lui a montré un croquis représentant l'atelier du peintre de sa pièce. Il a regardé la comédienne qui se dirigeait vers la scène.

— Nous avons beaucoup discuté des décors. Elle a de très bonnes idées. Je me demande comment tu as fait pour lui écrire un rôle pareil. C'est elle! C'est un véritable miracle. Je suis paumé parfois, j'ai l'impression que ce sont vraiment les pièces de son logement que je vais fabriquer.

Raphaël était blême. Les dessins étaient très parlants. De nombreux détails y figuraient déjà. Et il n'eut aucun mal à y reconnaître son propre appartement. La lampe bleue du séjour, ces rideaux anciens dont il avait hérité, la forme de son bureau qu'il avait lui-même dessiné quelques années auparavant. Trop. Il n'entend plus rien. Le décorateur le salue et quitte la salle.

Devant lui, sur la scène, sa compagne lance ses répliques.

— J'ai trouvé quelque chose pour nous en sortir.

L'acteur qui se trouve face à elle ne dit rien. Il paraît dépité, comme abattu par ce monde étrange où ses toiles ne trouvent pas preneur. L'espoir, vague, qui guide encore parfois sa main, semble s'être absenté. Il ne relève même pas la tête.

— Tu m'entends? Je suis sérieuse, j'ai trouvé quelqu'un. Il est prêt à te passer une commande.

Le peintre demeure immobile et sourd à tout appel. Clarisse s'approche. Elle est aussi soucieuse que si elle avait à dresser un jeune chiot perdu. Ses pensées sont tellement éloignées du drame de son compagnon qu'elle ne sait comment poursuivre.

— Mais réveille-toi! Elle crie et agrippe les épaules voûtées du peintre. Tu vas réagir ou te laisser crever comme un chien?

Il hausse les épaules. Elle le gifle à la volée. Ses doigts se crispent et ses ongles dérapent sur la peau de sa joue. Il se met à protester, lui saisit les mains. D'une balafre bénigne perle du sang. Ils s'immobilisent. Se regardent.

— Écoute, je t'ai trouvé un bienfaiteur. Si tu ne parviens pas à te réveiller, je pars. J'en ai assez de tes abattements et de toute cette inaction dont tu remplis ta vie.

Il écoute à présent. Son regard s'est coloré d'un peu d'intérêt, tout juste suffisamment pour déchiffrer les mots qui fusent vers ses oreilles.

— C'est un collectionneur de nus.

Est-ce une ébauche de sourire qui vient de naître sur ses lèvres? Il évalue dans les paroles de sa compagne le sérieux de son discours. Un collectionneur de nus.

— Tu vas réaliser un nu de moi et j'irai négocier son prix. Tu as une totale liberté, et même si tu fous un putain de point blanc sur un fond blanc, il paiera une petite fortune, je peux te le garantir. Tu commences maintenant ou je te laisse crever.

Le peintre est reparti dans la patrie des couleurs. Il se lève. La beauté de sa compagne, il la connaît. La mettre à nu serait une excellente idée. Toute sa beauté, toute cette douceur et toute cette violence. Mais après? Si son tableau est une réussite, elle ne le supportera pas. Elle partira de toute façon. Et qu'elle parte, il n'en peut plus.

Raphaël se demande jusqu'où sa compagne va aller. Elle joue très bien, mais se rend-elle encore compte du courant effroyable qui est en train de l'emporter?

Il se dit que la beauté est une chose terrible. Toute la beauté. Pas le romantisme verbal d'un idéal voué aux moqueries. Pas le cynisme morbide des dérèglements les plus pervers. Un bout de réalité sur lequel viennent s'échouer les consciences pour y frotter leurs nageoires avant de repartir, en sens inverse, et poursuivre le trajet qui leur est échu.

Raphaël se lève. Les comédiens viennent de terminer leur scène. Clarisse tourne la tête vers lui. Elle sourit. «Jusqu'à quand?» se demande Raphaël. Puis il remonte l'allée vers la sortie et disparaît sans se retourner.

Il porte sous son bras trois livres. Ses œuvres les plus récentes. Trois pièces de théâtre. Elles ont toutes trois été montées au Théâtre de l'Autre. Le directeur lui a téléphoné la veille pour lui dire qu'une jeune comédienne tenait absolument à le rencontrer. Il lui a donné son numéro. Elle l'a appelé le matin même, à onze heures, pour prendre rendez-vous.

— Je n'ai pas lu vos pièces, mais il paraît que je ressemble à vos personnages.

Elle l'a séduit dès les premières paroles.

— Je vous apporterai mes derniers écrits. Vous vous rendrez compte par vous-même.

Le soleil baigne la rue d'une douce moiteur. Sur le trottoir opposé, une femme avance en regardant dans la direction de Raphaël. Il se dit qu'elle doit être comédienne. Elle porte une robe légère et un chapeau à larges bords. Ses pas sont en accord avec ses vêtements. Toute sa personne reflète une maladresse calculée. Sa discrétion est soutenue par sa démarche évocatrice et pleine de naturel. Le caractère que l'on se représente en la regardant a une cohérence absolument stupéfiante. Il se dit qu'elle doit être à moitié folle. Elle est émue et elle se dissimule derrière un personnage dont Raphaël sent qu'il n'est qu'une image particulière, une défense parmi d'autres qu'elle s'est choisie pour cacher ses faiblesses. Il est impressionné.

— Bonjour, je suis l'auteur.

— Bonjour, je suis la comédienne.

Ils rient ensemble à l'annonce de ces particularités qui les ont réunis. Une émotion indicible flotte dans l'air. Il lui ouvre la porte et se perd dans les effluves du parfum léger et fleuri qu'elle laisse, comme une troupe d'admirateurs, traîner derrière elle.

La comédienne paraît joyeuse. Elle est dissimulée derrière un masque d'allégresse dont elle ne soupçonne pas que la texture homogène et le rendu parfaitement exécuté trahissent son habileté pour les jeux de parade. Elle commande un martini, il trouve l'idée excellente et l'imite. «Je ne veux pas qu'il pense que je vais acquiescer à toutes les âneries qu'il va raconter. Pour qui me prendrait-il?»

— Je déteste le théâtre contemporain. C'est bien simple, je ne peux pas en lire plus de deux lignes sans m'endormir.

Elle a prononcé cette phrase avec un sourire angélique qu'elle a fait suivre d'un air boudeur très réussi.

— Mais vous, c'est différent. J'ai vu vos pièces, elles me plaisent.

— Vous savez, les pièces, quand elles sont montées par des metteurs en scène qui ne veulent pas entendre parler de moi, elles ne sont plus tout à fait les miennes. Mais je veux bien croire qu'elles vous ont plu, et que j'y suis pour quelque chose.

— Et puis tout le monde me dit que je suis, d'après ma nature, une de vos héroïnes. Qu'en pensez-vous?

Elle s'est penchée en avant pour lui livrer ce secret. Son décolleté a pris le large.

— D'après votre nature, certainement pas. D'après votre attitude, c'est possible.

Elle ravale sa salive discrètement. «J'en fais trop, c'est ça hein? Mon attitude est normale. Je ne vois pas ce qui le fait sourire.»

— Voulez-vous une cigarette?

Elle accepte et se met à tousser dès la première bouffée. Raphaël ne comprend pas.

— Vous fumez souvent? demande-t-il avec un air amusé, s'exprimant franchement et sans retenue pour la première fois depuis le début de leur rencontre.

— Je ne fume pas, mais je voulais goûter à vos cigarettes pour connaître les saveurs qui vous plaisent.

Elle écrase la cigarette avec délicatesse et précision, jusqu'à ce que plus aucune lueur de feu ou trace de fumée ne s'échappe du cendrier. Il lui tend son paquet.

— Si vous cherchez vraiment à me connaître, je vous les laisse pour examen.

Il lève le bras. Le garçon approche. Il commande deux autres martinis.

Clarisse est son nom. Elle ne sait plus qui elle est. L'avion s'est posé à Barcelone dans la matinée. Quelques gros nuages se baladent dans des formes pleines de menaces. Le ciel a une couleur mate d'un bleu sombre.

Dès qu'elle quitte la climatisation de l'aéroport, la chaleur l'écrase. Le taxi l'a déposée devant l'entrée d'un grand magasin. Elle a parcouru le reste de son trajet à pied. Le goudron est chaud et, par endroits, la semelle de ses sandales s'enfonce légèrement. Elle pénètre dans la boutique d'un antiquaire. Sur le trottoir opposé elle voit la porte de l'immeuble s'ouvrir. La concierge vit seule depuis la mort de son mari. Sa corpulence lui impose une lenteur pénible. Elle a bloqué la porte en position ouverte, va chercher son panier pour le déposer dehors et referme derrière elle avant de le reprendre et de s'éloigner en titubant comme un ivrogne.

Clarisse quitte la boutique. Elle sort la clé de l'immeuble. Un homme s'approche sur la droite. Sans le saluer, elle ouvre, entre et maintient la porte entrebâillée pour permettre à son complice de la rejoindre. Ils ne prononcent aucune parole en gravissant les marches des deux étages. Le tapis est épais. Des toiles de l'histoire éternelle de la peinture tartinent les murs de leur banalité. Ils demeurent silencieux.

— Entrez! crie une voix derrière la porte de l'appartement.

L'homme est assis à son bureau. Il parle au téléphone et quand il voit Clarisse, il dit à son interlocuteur qu'il va le rappeler.

— Clarisse, quel plaisir de te revoir! déclare-t-il avec une joie qui semble réelle.

Il s'est dirigé vers elle, mais son immobilité et ses yeux qui demeurent dissimulés derrière des verres fumés le stoppent dans son élan. Silence. L'homme de main s'est placé près de la fenêtre de droite du séjour, dans l'angle du mur. Il observe alternativement la rue, la pièce, le couple et sa montre. Lui aussi a conservé ses lunettes. Son costume passe-partout lui prête une allure d'homme d'affaires un peu ringard. Aucune mallette ne pend à sa main. Un professionnel remarquerait le petit renflement de sa veste.

— Je me suis demandé comment tu me recevrais. C'est vrai, ça fait des mois que l'on ne s'est pas vus, tout de même.

Elle lève la main pour couper court à ses commentaires et poursuit.

— Tu m'as écrit des mots étranges. Je ne comprends pas ce que tu veux. Ta toile valait de l'argent, mais tu n'en voulais plus. C'est bien ce que tu m'as déclaré à l'époque? Si je l'ai vendue, cela ne te regarde pas.

Cette fois elle semble attendre une réponse.

— J'avais envie de te revoir, c'est pour cela que je t'ai écrit. J'étais sûr qu'en te parlant d'argent tu viendrais.

— C'est une lettre de menace que tu m'as envoyée.

Elle sort une feuille de sa poche.

— Tu te souviens de ce passage : «Et si tu persistes à me laisser sans nouvelles, j'irai porter plainte pour vol et abus de confiance. On verra comment tu t'en sortiras devant la justice. La séparation était préférable pour nous deux.

Mais vendre la toile une fortune sans m'en faire part! Je ne dis pas sans me donner d'argent, mais sans m'en informer… on se demande pourquoi tu es restée avec moi, au fond?» Tu insinues des choses terribles.

— Je voulais te revoir.

Clarisse fait deux pas en arrière. Elle sort son automatique, y fixe un tube de métal et en ôte le cran de sûreté.

— Tu me prends pour une conne? Sans moi tu n'aurais jamais pu faire ta toile. Sans moi tu n'es rien. Et si je t'avais utilisé depuis le début, juste pour te voler la toile? C'est dur de penser une chose pareille. Pour une fois que tu penses, ça doit vraiment être très pénible pour toi. Et si tu te trompais?

Il vient de voir des murs d'incompréhension se dresser tout autour de lui. Il regarde les pierres de haine s'empiler les unes sur les autres, il voit le ciment de la folie, il entend des paroles qui labourent son esprit dans un carnage effroyable sans qu'il puisse se défendre. Le bras de Clarisse se dresse vers sa poitrine.

— Tu ne vas quand même pas?... Clarisse, je t'aime, arrête, voyons. La toile, je m'en fous, oublie tout ça.

— J'y compte bien.

Et deux balles s'envolent dans de souples détonations amorties par le silencieux. Elles filent dans les airs et surprennent le peintre qui ne s'attendait pas à leur venue. Elles se dirigent directement vers son cœur. Il meurt instantanément, «sans une parole de plus pour me faire chier», pense Clarisse.

L'homme de main se demande ce qu'il fait là. Un éclair d'intelligence le fait réagir : il sort un mouchoir et, tout en invitant sa patronne à remballer son arme, il essuie la poignée de la porte qui est le seul objet qu'ils aient touché. Ils descendent rapidement les marches. Elle sort vers la droite et lui vers la gauche. Cinquante mètres plus loin, il est obligé de quitter le trottoir car une énorme bonne femme surgit du coin d'une rue, un panier à la main.

Elle est heureuse aujourd'hui. Elle a reçu des journalistes toute la journée. Le joujou de la mode, la représentante absolue de l'idéal sur pied, c'est elle. On lui demande la marque de ses cigarettes favorites, la pizzeria où elle va oublier qu'elle est une vedette, le nom de son amant, est-ce vrai qu'elle est lesbienne, et sadomasochiste, et pourquoi ne mange-t-elle que du beurre à la petite cuillère? Elle s'amuse de tous ces ragots qui lui donnent l'impression d'être des milliers de femmes à la fois.

Que choisir? Elle varie sensiblement ses déclarations d'un journaliste à l'autre. Tout à coup elle se découvre une passion pour les papillons australiens, et une heure plus tard ce sont les films de série Z qui ont depuis toujours fasciné en elle l'être du dehors qui ne supporte aucun establishment. Rire de tout cela.

— Je suis sincèrement heureux de la réussite que vous connaissez, d'autant plus que j'y ai contribué à ma modeste mesure.

Celui-là, c'est vrai qu'il lui avait donné un sérieux coup de pouce dans sa rubrique théâtrale. Et ce n'est pas le plus bête.

— Pourrions-nous aborder ensemble la question de vos relations avec l'auteur de *Clarisse aux mille visages*?

Elle souhaite éviter ce sujet-là autant que possible. Et ce n'est pas la pièce de Raphaël qui fait la une des journaux. C'est elle. Il a refusé toutes les interviews. Comment veut-il que son travail soit reconnu? Elle l'avait pourtant averti.

— J'aimerais vous dire à quel point j'admire Raphaël pour son travail. Nous avons beaucoup réfléchi au personnage de Clarisse et je l'ai accompagné dans son processus d'écriture. N'allez pas dire que j'ai écrit la pièce, affirme-t-elle avec un sourire ambigu. Une relation très forte existe entre nous deux. Il a su en tirer le meilleur parti dans son écriture. De mon côté, j'ai tout de suite ressenti une osmose quasi absolue avec Clarisse, ce qui m'a facilité le travail, je dois l'avouer, dit-elle en riant franchement.

Le critique sourit à son tour.

— Si je vous suis bien, je dois à présent vous parler de vos relations avec votre personnage. Ce qui me trouble souvent chez vous, les comédiens, c'est de vous voir vous comporter d'une façon si différente de ces monstres que vous incarnez sur scène. Car c'est bien un monstre, cette Clarisse, vous en conviendrez avec moi. Elle ment, manipule, vole, tue, tout au long de la pièce. Pas un seul sentiment humain ne l'habite. C'est une incarnation du mal très réussie et, justement, j'aimerais savoir ce que vous en pensez, de l'intérieur, de la créature malfaisante que vous matérialisez pour nous avec tant de génie. Si, si, j'ose le mot, vous jouez avec une grâce stupéfiante.

Jusqu'où est-elle Clarisse? La question ne lui était jamais venue à l'esprit. Clarisse, c'est elle. Un point c'est tout.

— Mon métier consiste à incarner le moins maladroitement possible des personnages. C'est à vous, en tant que critique, de répondre à ce genre de questions. Mais, malgré toutes les actions mauvaises qu'elle commet, Clarisse me paraît poursuivre un idéal, un rêve qui l'habite du début à la fin. Si elle fait le mal, c'est par accident. Ce qui compte pour elle, c'est de vivre.

Le critique connaît son métier, aussi respecte-t-il la bonne foi de cette déclaration. Ses bottines sont brunes, son pantalon en velours est vert. Il pose sa pipe en écume contre le cendrier. «Au fond, se demande-t-il, qui est Clarisse?»

La consécration est survenue un beau soir. Les souvenirs de ses rêves de jeunesse ont remonté la pente de sa mémoire d'un seul coup. C'est comme s'ils ne l'avaient jamais quittée. Tapis dans l'ombre de sa conscience, ils attendaient le moment propice pour surgir.

La fenêtre de sa chambre donne sur une cour goudronnée qui sert de parking. Le souffle court, le sang bat à ses tempes. Son regard demeure figé sur les emplacements où se garent les véhicules à côté de la maison. Une voiture vient d'arriver. Une femme en sort. Jupe droite, chandail en laine. Sa mise en plis lui dessine un casque doré sur le crâne. Elle ferme la portière avec précaution, la verrouille et se dirige à pas mesurés vers l'entrée de la maison. La panique s'empare de la jeune fille penchée à sa fenêtre. Quand la femme qui s'approche lève la tête, elle demeure paralysée par la terreur. Sa transpiration est une pluie froide dans son dos. La sonnerie de l'entrée résonne comme un glas sinistre. Sa mère, qui vient de rentrer, va ouvrir.

Les deux femmes discutent. La jeune fille tente de reprendre ses esprits. Elle entend son nom, lancé par sa mère avec une teinte d'autorité peu habituelle, tempérée toutefois par une distance vis-à-vis de ce ton autoritaire qu'elle vient de se voir utiliser, comme par obligation. Sa mère ne peut croire à une mauvaise action perpétrée par sa fille. Il faut éclaircir la situation au plus vite. Elle aussi se sent déstabilisée par la visiteuse.

— Descends, ma chérie, madame Herse est là, et il faut que tu viennes m'expliquer ce qui se passe.

Le sourire aux lèvres, elle quitte sa chambre et amorce la descente de l'escalier. Le visage de sa mère apparaît, coupé en biais par la rampe, puis c'est au tour de la vieille pie d'apparaître dans son champ de vision.

— Voilà, maman, j'arrive.

Et elle dévale les dernières marches avec un air d'innocence dont la pureté fait son effet. Sa mère se tourne vers la visiteuse qui paraît stupéfaite. Elle s'attendait à voir la coupable s'agenouiller et c'est à un ange qu'elle va demander des comptes.

Madame Herse a de bonnes intentions. Elle tient un grand magasin. Une de ses vendeuses a constaté la disparition d'un tube de rouge à lèvres. «Et tu étais la seule cliente dans le rayon, ma petite, déclare avec indulgence la commerçante. Alors ne fais pas d'histoires, je n'ai pas appelé les gendarmes parce que je te connais. Ce n'est pas bien de voler. Si tu me rends ce que tu as volé, je te laisserai t'expliquer avec ta mère.»

— J'ai rien volé du tout, c'est pas vrai.

Madame Herse a l'habitude de ces situations difficiles avec les enfants de ses clients. Elle cuisine l'adolescente jusqu'à la faire pleurer. Parvenue à ce point où les nerfs se relâchent, elle répète qu'elle n'a que de bonnes intentions et demande à nouveau la restitution de son bien.

C'est à cet instant précis qu'elle s'est dit qu'elle serait comédienne. Elle renifle péniblement dans un spasme, soutient que ce n'est pas elle. Sa mère va intervenir pour mettre fin au supplice, mais c'est le moment qu'elle choisit pour avouer.

— C'est pas moi qui l'ai volé, c'est Bruno, sanglote-t-elle en opérant un demi-tour stratégique qui lui permet de s'enfuir dans sa chambre.

Les deux femmes, interloquées, se dévisagent comme des aveugles, les yeux vides et l'esprit butant contre un obstacle inconnu. Le fils de madame Herse se trouvait effectivement dans le magasin avec la jeune fille, elle le reconnaît. «Ce n'est pas possible», murmure-t-elle avec une haine nouvelle pour celle qui éduque ce fléau.

— Je m'excuse de vous avoir dérangée. Je vais aller régler ça à la maison.

Elle part sans se retourner. L'adolescente s'est accroupie pour observer le départ de la voiture. Dans son poing, le second tube de rouge à lèvres, celui qu'elle a volé sans en parler à Bruno, lui brûle les doigts et le cœur pour toujours.

Elle entre dans la salle bondée. Tout le monde est là. Seule l'absence de Raphaël provoque des commentaires. Ils se sont séparés un mois plus tôt, alors que *Clarisse aux mille visages* ne faisait plus la une des journaux tout en continuant à attirer le public soir après soir.

Les présentateurs sont de vieux comédiens ou des jeunes qui n'avaient aucune chance de remporter un prix. Ils sont heureux de pouvoir exhiber leur talent à faire des blagues et leur sang-froid devant ceux qui se lèvent, parcourent l'allée sous les projecteurs et viennent, plus ou moins fébrilement, recevoir une statuette et déclarer que le monde est merveilleux.

La surprise qu'elle manifeste en entendant son nom est savamment touchante. Elle a préparé un discours improvisé. Des rires et quelques larmes ponctuent les remerciements qu'elle adresse à son metteur en scène, au directeur du Théâtre de l'Autre et aux techniciens qui l'ont soutenue. Elle déclare que le texte de la pièce est une œuvre contemporaine et qu'il est important de soutenir les auteurs contemporains. Une salve d'applaudissements la remercie pour cette attention touchante.

La statuette est dans ses mains. Elle la fixe froidement alors qu'un écran géant se déroule au-dessus de sa tête. On entend la musique de la pièce envahir les lieux. Dans l'extrait retenu par le jury, l'héroïne n'a plus beaucoup de points communs avec ses semblables. Sa dérive finira par un naufrage. Elle est installée dans un salon circulaire très impressionnant. Le décorateur a fait des miracles. L'impression générale d'espace forme un contrepoint oppressant à l'enfermement définitif de Clarisse.

— Ça ne va donc pas s'arrêter? Après tout ce chemin parcouru, j'ai mérité mon repos. Je n'en peux plus de tous ces allers et retours incessants. Que me reste-t-il à la fin? Je voulais la gloire et la fortune. Je les tiens dans ma main. Je suis la femme de tous les désirs. Rien ne résiste à ma volonté. Ils l'ont bien vu, eux, là. Ils voulaient ma peau, ces salauds. Moi, j'étais seule. Et ils n'ont rien pu contre moi. Oui, je suis la puissance incarnée, oui, l'univers pourrait s'écrouler, je serais la dernière à tomber dans le gouffre.

Elle tourne dans le salon comme une lionne en cage. Des jeux d'éclairage violents animent les vitres de la pièce, reflets des catastrophes virtuelles qui fuient le cerveau malade de l'héroïne. Elle se sert un verre plein de whisky, y verse une grosse pincée de cocaïne, se l'envoie cul sec.

Le râle qui suit ces gestes inventés par le monde moderne jette un silence lourd dans la salle. Il ne reste que vingt secondes avant la fin de l'extrait. La tension monte. Clarisse s'est tue et s'avance vers le public. Son visage apparaît en gros plan sur l'écran géant. Ses pupilles dilatées lui donnent un air maléfique. Elle exécute très peu de gestes. Le mouvement de sa tête lui fait parcourir l'assistance du regard. L'air de défi qui sourd de tout son être repose sur la frustration inhumaine qui la broie. Que pouvons-nous pour elle? Elle a visité les rêves et sa vie est devenue l'un d'eux. Tous l'envient et tous la plaignent, parce que la jalousie envers ceux qui ont perdu devient de la compassion. Rien à faire pour elle. Et si elle survit, la souffrance augmentera encore. Et ça, ce n'est pas possible.

Le projecteur s'éteint. L'écran remonte. Et puis c'est terminé.

Écrire, c'est tenter de voir l'invisible

Raphaël est plongé dans ses pensées. Autour de lui, les fleurs d'un parc public répandent leurs bienfaits aux yeux et aux narines des passants. C'est le printemps. L'après-midi est radieux. Des étudiants à moitié soûls sont allongés dans l'herbe. Quelques clochards viennent recevoir la chaleur solaire sans plaisir apparent. Des femmes surtout et aussi des hommes promènent les enfants émerveillés par tous les mystères qui les entourent. Raphaël se tient assis, les jambes légèrement écartées, les deux coudes appuyés sur ses genoux et la tête calée entre les paumes de ses deux mains.

Il se dit que cette position est tout à fait banale et sans aucun rapport avec le tragique de ses troubles intérieurs. Il se redresse aussitôt pour prendre une pose plus appropriée, mais ne parvient qu'à se donner l'air d'un homme qui se chauffe au soleil.

Ses bras glissent et sa tête s'incline. Il pense à cette comédienne qui lui a tourné la tête et, cette fois, on peut sentir irradier de toute sa personne un sentiment proche du malheur. Cela fait des mois qu'elle est partie comme une voleuse. Que devient-elle? Comment a-t-elle pu? Il ne peut s'empêcher de penser qu'il s'est fait avoir. Il a écrit une pièce, pour elle. Le succès est arrivé et elle est partie. C'est aussi simple que ça.

Et l'éditeur a réclamé puis exigé qu'il réécrive sa pièce sous la forme d'un roman. Raphaël ouvre les yeux. Il voit des colonnes de fumée noire dans un ciel d'apocalypse. Les rangées d'usines s'étalent jusqu'au délire. Des files d'esclaves soumis forment des chaînes sans fin. Les éclairs sillonnent l'horizon. C'est la fin du monde.

Il revient à lui, se lève pesamment et va errer dans le parc. Les allées tanguent sous ses pas. Il fait crisser le gravier qui pousse des petits cris d'animal battu. Un dédale de haies forme un labyrinthe pour les enfants qui se courent les uns après les autres. Il trouve un endroit isolé. Une alcôve végétale lui offre un banc cerné par de drôles de fleurs multicolores. Ne sachant quelle pose adopter pour trouver du confort, il gigote, tourne et arrache rageusement une fleur qu'il met à sa boutonnière d'un geste pompeusement moqueur.

Son visage respire une amertume insensée. Il relève la tête et voit une femme qui s'avance dans sa direction. Il l'observe sans se priver. La nature présente autour de cette femme lui prête des airs de créature des bois.

Elle approche en souriant. Tout à coup, le trouble charmant qui avait commencé à bercer les peines de Raphaël s'évanouit. Il écarquille les yeux en se rappelant un passage du roman qu'il vient de commencer : «Je m'assis en contemplant sa beauté nordique, blonde et souple.» Sa bouche est ouverte comme pour laisser se dévider toute la stupeur qui le cloue sur place. «Hilda est grande et belle. J'engage la conversation en lui demandant si elle est étrangère. Il faut bien commencer quelque part.» Il n'en revient pas.

C'est exactement cette femme qu'il a dépeinte dans son roman. La classique blonde hollandaise aux formes généreuses et aux mœurs avenantes. En chair et en os. Il recule et son dos va frapper le dossier de son banc. Il est désemparé quand elle arrête sa promenade et s'assoit à ses côtés. Ses bras et ses jambes font des mouvements étranges qu'il contient avec difficulté. On pourrait penser qu'il tente de s'enfuir à toutes jambes sans parvenir, d'abord, à se mettre sur ses pieds. La désarticulation est complète.

La jeune femme le salue en anglais. Raphaël tient le bord du banc à deux mains, la tête tournée vers la gauche. Son regard en coin n'a rien de rassurant. Il refuse de prononcer un seul mot en anglais. Elle sourit et s'émerveille de la beauté du lieu. Elle prononce à nouveau quelques phrases. Puis quelques mots simples. Il fait la sourde oreille et articule une médiocre parodie de son ignorance dans la langue des anciens maîtres des Indes : «Aï no engliche spique», lance-t-il comme un fer à repasser à la mer.

La Hollandaise rit franchement et bascule la tête en arrière pour prendre les traits d'une star de cinéma. Ses dents rayonnent de blancheur. Raphaël a le sentiment d'entrer dans une publicité pour du dentifrice. Elle pose soudain la main sur son épaule pour attirer son attention. Il sursaute en poussant un cri ridicule. Un long, dense et épais silence s'installe. Elle continue de sourire avec une patience désarmante. À quoi pense-t-elle? Personne n'en sait rien.

Raphaël regroupe ses forces. Il s'évertue à respirer lentement et à faire le vide dans son esprit. La jeune femme se tourne vers lui pour gâcher tous ses efforts. La panique reprend possession de ses traits. Elle penche la tête et entame un examen de son visage. Ses doigts se posent sur son propre visage quand elle le regarde et elle commente en anglais ce qu'elle observe. «Beautiful eyes... lovely nose... sexy mouth.»

Il comprend suffisamment l'anglais pour se poser des questions sur sa voisine. Il tente encore de faire le niais, mais elle effectue une série de mimiques langoureuses sans aucune ambiguïté. La situation est tendue. Raphaël détache précautionneusement ses mains du banc et ramène les bras de part et d'autre de son buste. «Ah!» lance-t-elle avec joie. Il ne la regarde pas. Ses yeux cherchent désespérément un objet sur lequel s'appuyer pour lui permettre de se lever et de fuir.

Elle se rapproche avec une moue boudeuse et les yeux mi-clos. C'est l'abandon qu'elle recherche. Raphaël sent des vents violents fouetter son corps. Il est au cœur d'un ouragan. Des objets volent dans tous les sens. Du sable entre dans sa bouche, son nez et ses oreilles. Un serpent énorme apparaît dans son champ de vision. Il flotte dans une tornade et fonce droit vers lui comme un obus. Et il se le mange en pleine face. L'explosion provoque une catastrophe générale. La terre tremble, des millions de gens sont engloutis dans les fissures qui s'ouvrent dans le sol.

La jeune femme maintient sa langue enfoncée dans la bouche de Raphaël en la faisant tourner avec une savante perversité. Il réagit sans prévenir, la bouche encore collée, la langue encore inerte mais aspirée par la Hollandaise, et il s'arrache à elle dans un bruit de succion parfaitement grotesque.

Elle tend la bouche vers lui, stupéfaite, interdite, et lance un regard angoissé qui se transforme petit à petit pour en dire long sur ce qu'elle pense tout à coup du genre masculin.

Raphaël s'est levé d'un bond et s'est mis à courir à fond de train. Il bouscule un landau qui lui barre le chemin et se fait injurier, renverse un cycliste qui tenait son vélo à la main, se répand de tout son long dans un parterre de fleurs qu'il cherchait à enjamber et finalement il escalade l'enceinte du parc en déchirant le bas de son pantalon, pour disparaître enfin de son cauchemar.

Les rayons du soleil viennent réparer les dégâts produits sur Raphaël. Sa déambulation l'amène à fouler les pavés d'une place publique. Son appartement se trouve à moins de cent mètres. Il fait le tour de la place. Les commerces florissants lui lancent des invitations à la dépense. Il entre dans un bar-tabac pour s'acheter des cigarettes.

Devant la statue d'un important personnage historique se trouve un banc sur lequel il joue avec son briquet. Un homme se tient également sur le banc. Son complet noir est propre et soigné. Il porte des lunettes de soleil et son physique, que l'on devine à ses épaules et à son torse qui n'est pas bombé que par la respiration, est celui d'un sportif.

— Pardon, vous n'auriez pas du feu? demande l'inconnu.

Raphaël tient le briquet dans sa main. Il pense une seconde à faire une blague, à répondre non pour pouvoir contempler le visage ahuri que prendrait son interlocuteur. Mais ces muscles qu'il a devinés l'arrêtent. Il se penche pour allumer la cigarette de son voisin et s'en sort une. Ils dégagent de longs jets de fumée en expirant en même temps. Cette synchronisation les fait sourire et se tourner l'un vers l'autre.

— Merci, dit l'inconnu.

Ils ne prononcent aucune parole pendant une minute. Le beau temps a fait sortir les passants des repaires où ils demeuraient cachés. De belles femmes circulent devant la statue.

— On se boirait bien un pastis, lance le sportif.

Raphaël se lève. Ils traversent la rue en direction du bistrot le plus proche. Le patron n'a pas encore sorti les tables sur sa terrasse, mais ils parviennent à le convaincre de les laisser s'installer dehors en emportant deux chaises.

— Deux pastis, patron!

Raphaël est agréablement surpris par cet inconnu. Il l'inspecte en détail, prête une attention particulière aux phrases qu'il prononce. Sympathique. Un peu nerveux. Enthousiaste en tout cas. Leurs deux pastis arrivent. Le patron les apporte sur une petite table en lançant une blague.

Raphaël lève son verre.

— Alors, que fêtons-nous? demande-t-il avec curiosité.

L'inconnu saisit son verre avec délicatesse. Il le fait tourner dans sa main comme une bille, le sent, ferme les yeux, inspire à fond et lance :

— Une femme!

— Est-elle belle?

— Magnifique.

— Qui est-ce?

— Ma patronne.

Raphaël sourit bêtement. C'est pas vrai. Mais qu'est-ce que c'est que ce bonhomme? Il paraît sérieux. Et à vrai dire…

— Vous allez la voir, elle va arriver dans cinq minutes. Elle m'a déposé à midi pour que j'aille lui trouver un kilo de coke. Elle va arriver.

Il n'en croit pas ses oreilles. Sur quel phénomène de foire est-il encore tombé? Ils vident leurs pastis et l'inconnu en commande deux autres. À l'autre bout de la place, une voiture énorme surgit. Elle avance doucement, fait le tour.

— C'est elle, elle me cherche, affirme l'inconnu avec un rire douteux. Cette voiture est une Bentley de 1947. Une vraie merveille.

Les passants s'arrêtent. Le véhicule est gigantesque. Sa carrosserie noire agrémentée d'un métal argenté, ses banquettes perdues dans une débauche d'immensité et d'un rouge luxueux forment un ensemble invraisemblable, tonitruant, richissime, exaltant une condescendance ignoble envers l'utile et l'agréable. Tout est démesure dans cet engin. Les enfants osent s'approcher, les hommes font des commentaires techniques, les femmes s'extasient, tout le monde tombe en pâmoison.

L'inconnu vide son verre d'un trait et se lève. Il serre la main de Raphaël.

— Revenez la semaine prochaine, je serai dans le coin.

— Comment s'appelle-t-elle?

— Qu'est-ce que ça peut vous faire? De toute façon, il n'en reste plus grand-chose.

Et l'inconnu fait un signe de la main qui attire la Bentley comme par magie. La conductrice passe du côté passager. C'est vraiment une femme magnifique. Raphaël, médusé, la regarde. Elle tourne la tête dans sa direction et le temps nécessaire à la voiture pour s'éloigner et disparaître, elle le passe à le regarder, sans émotion, en statue de toutes les beautés. Son regard entraîne Raphaël loin de la terrasse. Il la suit et dérive sans retenue dans la mer de ses rêves.

Il est en route pour son appartement. Les deux pastis qu'il a absorbés lui procurent un sentiment de bien-être qu'il savoure. Le trottoir lui apparaît d'une singulière clarté. Des jeux d'enfant envahissent son esprit. Il s'attache à franchir les limites des pavés, une fois avec son pied gauche pour les chiffres impairs puis une fois avec son pied droit pour les pairs. Il doit absolument maintenir ce rythme. Et quand il n'en a pas la possibilité, il doit composer avec lui-même, s'inventer de nouvelles règles : si ton pied droit passe deux pavés de suite, alors ton pied gauche a le droit d'en faire autant, et même parfois il acquiert celui d'en faire deux fois plus. Et puis tenir les comptes devient rapidement d'une complexité effroyable. Il se demande alors si la loi règne encore. Le chaos serait-il tout à coup en train de prendre possession de son esprit? Il faut réagir. Là, le pied droit a tenté d'outrepasser ses droits. Encore lui, c'est invraisemblable. Il enchaîne quatre enjambements de pavé du pied gauche et soudain, il se sent beaucoup mieux.

En parvenant devant un boulevard, il réalise qu'il a dépassé la porte de son immeuble. La concierge se trouve à l'intérieur. Elle fait un signe à son charmant locataire et s'avance pour lui ouvrir la porte, qu'elle maintient à l'aide de son panier à commissions. Elle a une certaine corpulence, se balance d'un pied sur l'autre – sans souci pour le rythme – et le salue amicalement.

Il commence à gravir l'escalier couvert d'un vieux tissu rouge qui ne peut plus donner une impression de luxe. Sur son palier, il voit la porte de l'autre appartement s'ouvrir. Il connaît bien son voisin. Il s'appelle Jacques.

— Bonjour Raphaël, lance-t-il sans aucun entrain.

— Salut, tu viens boire un verre?

Le voisin est habillé d'un smoking très élégant. Il déclare qu'il se rend à une fête, mais qu'il a toujours du temps pour ses amis. Ils entrent et vont dans le salon. Raphaël sort deux verres et y verse une rasade d'un bon whisky écossais.

— Je sais bien que c'est ce que tu préfères.

Jacques sourit. Ils allument des cigarettes et trinquent.

— À la littérature, déclare Jacques.

— À la littérature.

Jacques paraît travaillé par des débats intérieurs :

— Raphaël, tu es écrivain. Tu sais ce qui se passe dans les livres, alors j'aimerais te poser une question. J'en lis un très bon en ce moment et figure-toi que j'ai rencontré une femme qui ressemble comme deux gouttes d'eau à l'héroïne de mon bouquin. Tu as déjà vécu des choses semblables, toi?

Raphaël se laissait doucement bercer par l'alcool. Il se tourne vers Jacques, les yeux écarquillés. Il se laisse retomber dans son fauteuil, avale une gorgée de whisky.

— Eh bien… tu sais… moi, j'écris. Je raconte des trucs que j'ai vécus ou que l'on me confie et d'autres choses que j'imagine en me laissant aller. Je fais des mélanges. Et je vais te dire, ça m'arrive tous les jours de penser que ces gens que je rencontre et ces situations que je vis sont sortis tout droit d'un livre. D'un bon ou d'un mauvais, ça dépend.

Jacques prend une attitude inspirée pour réfléchir, puis il déclare :

— Oui, mais t'est-il déjà arrivé de revivre dans ta vie de tous les jours ce que tu as pu lire ou écrire? Parce que, vois-tu, dans mon cas, c'est d'une similitude à rendre dingue. Et autant te dire que j'ai adoré l'héroïne du bouquin dès les premières pages. Alors, la femme, je n'en reviens pas encore : elle est parfaite.

Raphaël paraît gêné par les questions de son voisin. Il se lève pour remplir leurs verres à nouveau. Il ne dit pas un mot, toujours debout et comme entre deux abîmes. Des précipices se sont formés autour de lui avant qu'il ait pu faire un geste. Il serpente sur des sommets vertigineux et tient son verre avec difficulté. Il avance son pied gauche avec lenteur pour enjamber une roche qui barre son chemin. Quand c'est à son pied droit de se mouvoir, il constate avec effroi qu'une roche similaire se trouve en travers de sa route. Ses pieds se soulèvent d'eux-mêmes. Raphaël voit du coin de l'œil les gouffres qui menacent de l'engloutir à tout moment. Il ne contrôle plus rien. Ses pieds enchaînent des mouvements de plus en plus rapides, les précipices paraissent se rapprocher à mesure qu'il prend de la vitesse. Il a le sentiment de galoper sur une piste de course. De grandes lignes droites tendent leur perspective hypnotique à l'infini. Ces pentes abruptes qui soulèvent des volcans de terreur chez Raphaël tombent vers le bas, mais par moments aussi vers le haut. Il est en train de perdre les pédales et veut ralentir, trouver des repères, n'importe quel point d'appui pour se tirer de ce cauchemar. Il ne reste que cette vitesse insensée et ces puits de ténèbres qui montent vers le ciel ou chutent comme des bombes vers le néant.

— Méfie-toi de toi-même, c'est tout ce que j'ai à te dire.

Jacques est saisi par cette déclaration qui le renvoie vers des interrogations qu'il n'avait pas vues venir. Il se lève. Les deux hommes se dévisagent pendant une éternité. Des courants les rapprochent et les éloignent dans une danse pleine d'harmonie.

— Désolé, il n'y a pas de réponse à ces choses-là.

Jacques semble le comprendre. Il lève à nouveau son verre.

— À la littérature!

— À la littérature.

Ils vident d'un trait leur whisky, et Jacques s'en va faire la fête.

Des oiseaux pépient sur un arbre, face à l'appartement de Raphaël. Leur chant devrait lui être d'un réconfort charmant. Il perçoit de petits cris stridents semblables à des enregistrements passés en accéléré. Il s'interroge sur la raison de ce bruit qu'il a ignoré, mais qui se présente maintenant à ses oreilles comme un agaçant représentant de commerce dont on ne parvient pas à se défaire.

Des oiseaux. Et quoi encore? Il va fermer ses fenêtres et se sert un autre verre en appréhendant de voir venir – sans prévenir – le moment où il aura trop bu. Pour se délasser, il insère un disque de Chopin dans son lecteur. L'interprète est un vieux de la vieille, l'exécution est jouissive, il savoure.

Le téléphone se met à sonner alors qu'il s'est à moitié endormi. C'est un célèbre chroniqueur de théâtre qui lui a donné un coup de pouce peu auparavant. Il a été mis au courant du nouveau projet de Raphaël et il aimerait en parler avec lui.

— C'est que je n'en suis qu'au début.

— Allons, cela permettra aux lecteurs de ne pas vous oublier. Vous ne souhaitez pas passer à la télévision, alors acceptez une interview. Je serai bref. Nous en aurons pour une heure au plus.

Raphaël revoit l'aspect du chroniqueur avec sa pipe à la bouche ou à la main. Il fait de bons papiers en général et il est à peu près intègre. Il hésite. Tomber dans les griffes de ce critique ne peut que l'amener à parler de son projet. Il ne se sent pas prêt à le faire, à devoir choisir au milieu de l'univers qu'il traverse ceux des chemins qu'il vient tout juste de découvrir et qui pourraient se transformer jusqu'à en devenir méconnaissables. Le jeu de la découverte exige qu'on lui soit fidèle jusqu'au bout. Et puis, s'ouvrir à un critique qui évalue chacun des termes de vos phrases, guettant les impairs ou ravi par vos prouesses, relève d'une forme d'exhibitionnisme un peu osé pour lui. Il est inquiet.

— Vous voulez qu'on se rencontre quand? demande-t-il en pensant obtenir un rendez-vous le plus tard possible.

— Dans une demi-heure, ce serait parfait. On m'a posé un lapin et j'ai pensé à vous aussitôt...

Raphaël pense à une injure. «Dans le bar en face de votre journal?» demande-t-il avant de raccrocher son combiné. Il souffle en faisant vibrer ses lèvres et s'allume une cigarette. Son téléphone sonne de nouveau. C'est elle, c'est la comédienne qui a pété un boulon avec son personnage.

— Salut Raphaël.

— 'jour. J'ai pas le temps, là... j'ai une entrevue pour mon nouveau bouquin. On va se rappeler plus tard, hein?

— O.K., bye, prends soin de toi.

Il n'avait pas eu de nouvelles depuis des mois. Raphaël pense à présent à pas mal d'injures en même temps et s'en inflige la majeure partie. Il s'écroule dans son canapé et allume la télévision. Les chaînes défilent sans susciter son intérêt. Un documentaire animalier s'attache à styliser la vie de plusieurs espèces de mammifères. De petits scénarios ont été imaginés, en plus des préoccupations esthétiques, afin de rendre les animaux proches des spectateurs. Les mères sont affectueuses avec leurs petits, les mâles sont protecteurs, les prédateurs sont de terribles capitaines de guerre, les proies sont gentilles, mais vraiment trop stupides pour échapper à leur destin qui est de se faire dévorer pour le bien-être de l'écosystème en général. Les images défilent pendant cinq minutes sans que Raphaël manifeste de réaction devant les traces de cette idéologie qu'il détecte avec lassitude.

Il se lève pour aller se brosser les dents, se rafraîchir et changer de pantalon car le sien porte les marques de sa récente fuite du parc public. Il lui faut dix minutes avant d'être vraiment sûr de n'avoir rien oublié. Avant de sortir, devant sa porte, il pousse un rugissement qui est celui qu'il pousserait, il en est sûr, s'il était un animal.

Raphaël descend les marches de l'escalier de son immeuble en songeant à ce qu'il va bien pouvoir raconter pendant l'interview. Il connaît déjà le sujet de son nouveau livre, en a bâti la structure et en a même rédigé une partie. Mais comment être sûr de ce que donnera l'ensemble? Il peut parler de sa vie ou des voitures qu'il préfère. Tout cela l'ennuie au plus haut point. Comment se fait-il qu'il soit si difficile de parler de choses sérieuses dans les médias? Écrire, vivre, écrire. Une plaine de bonheur s'étale devant ses yeux quand il songe à son livre. De charmantes bêtes bondissent dans les herbes hautes. Des girafes démesurées broutent en hauteur. De splendides flamants roses n'en finissent pas de prendre des envols majestueux. Les prédateurs aussi se délassent. Une pluie fine commence à tomber. Ce ne sont pas des gouttes d'eau qui atteignent le sol mais des micros, des bouts de rallonges, un petit projecteur. Les animaux n'ont pas bougé au début de l'averse. À présent que les têtes se sont fait cogner, que la course ou le vol deviennent trop dangereux, ils circulent sans ordre à la recherche d'un havre de paix. Et cette plaine étale n'offre aucune protection. Pas la moindre colline ou de ces grottes où l'on voit, dans les films, les explorateurs se réfugier en poussant des soupirs de soulagement. L'averse s'intensifie. Les gouttes sont maintenant des caméras de plateau, des estrades, des rangées de sièges entières. C'est le carnage. Les animaux sont décapités, écrasés, réduits en bouillie par tout ce matériel inutilisable qui s'effondre sur le sol. La plaine se transforme en un dépotoir et un charnier épouvantables.

Raphaël parvient en bas de l'escalier, devant les boîtes aux lettres. Une enveloppe l'attend. Son adresse y est dactylographiée. L'AMTG, Association des Modèles en Tous Genres, lui a envoyé ce pli. Il le décachette en se demandant qui sont ces olibrius.

Il sourit en le parcourant, puis le relit en prêtant une attention soutenue à certaines phrases. L'AMTG réunit les gens dont le métier est d'être modèle. La pièce de Raphaël met en scène un personnage de modèle. Elle couche avec son peintre, ce que n'apprécient pas les membres de l'association.

«Que restera-t-il de la fierté de notre corporation si les artistes s'acharnent sans cesse à ne montrer dans les corps nus qu'un concentré des instincts sexuels les plus avilissants, au lieu de mettre en lumière tout le talent nécessaire pour parvenir au degré de maîtrise réclamé par cet art? Car, vous le découvrez peut-être, c'est du monde des arts que nous relevons nous aussi, modèles. Nous sommes des artistes au même titre que les plus grands peintres que nous avons inspirés.

Nous ignorons si les écarts dont témoigne votre œuvre sont dus à cette ignorance que nous traquons comme le chasseur, le canard. Peut-être souhaitez-vous recevoir de la documentation au sujet de nos thèses et de nos activités afin d'éviter à l'avenir toute faute de goût? Il vous suffit pour cela de vous mettre en route sur le chemin de la vérité en nous écrivant...»

Le sigle d'un parti politique d'extrême droite figure au bas du courrier de l'AMTG. Raphaël voit la concierge qui rentre de ses courses avec son panier débordant de provisions. Il lui tend la lettre en lui demandant ce qu'elle en pense.

— C'est vrai ce qu'ils disent? demande-t-elle sur un ton qui appelle une dénégation. Et devant l'air ahuri de son locataire, elle ajoute : Vous n'avez pas fait ça, tout de même!

Raphaël lui dit :

— Allons, je sais bien que tous les modèles ne couchent pas avec leur peintre. Mais ça arrive, c'est tout.

Il abandonne la concierge à sa perplexité et sort de l'immeuble.

Le début d'après-midi est tiède. Quelques nuages, comme des voleurs, passent inaperçus. Des avions de plaisance et de l'armée se sont ajoutés aux engins qui parcourent habituellement les airs. Des traînées de fumée gravent des traits blancs sur l'écran bleu du ciel. Certains se croisent de loin et ce sont presque des lettres qui apparaissent, des bouts de lettres plutôt, que l'on serait tenté d'insérer dans des ensembles plus vastes et plus cohérents pour extraire de ces transformations artificielles de l'azur une bonne dose de signification, quelque chose comme une raison à donner à l'étrangeté de ces phénomènes dont la beauté simple nous émeut parfois.

Raphaël retrouve un peu de son calme. Il se passe les mains dans les cheveux. Il déchire la lettre de l'AMTG et la balance dans une poubelle publique. Sur les trottoirs, le printemps resplendit en lumière et en ombre contrastées. Il préfère se rendre à pied à son rendez-vous et marche d'un bon pas en humant les effluves bourgeonnants qui ont envahi les rues. Des assauts d'inquiétude viennent lécher les pattes de sa conscience. Il cherche, par bribes, des phrases percutantes, des formules historiques et des citations appropriées pour agrémenter les réponses qu'il devra fournir tout à l'heure. Des ensembles de mots hétéroclites prennent position dans son esprit comme dans une garde-robe. Et au fond il n'est même plus nécessaire de trouver une justification à l'existence de ces tenues, championnes du prêt-à-porter, au milieu desquelles les lecteurs avertis sauront trouver le pantalon, la veste, la chemise et la cravate qui les mettront en valeur et leur assureront la vedette.

Raphaël est perdu dans un labyrinthe et il cherche à clarifier ses idées. Il traverse la rue sans s'occuper des voitures qui, pourtant, sillonnent l'asphalte sous ses yeux. Une poignée de passants s'arrêtent de marcher, de se parler ou de s'abandonner à leur solitude. Ils tournent leur visage en même temps. Une voiture est apparue dans leur champ de vision. Il s'agit d'un modèle récent, une grosse voiture décapotable un peu ronde et sans aucun caractère hormis son prix et son confort. De plus, elle est rouge.

Les piétons sont liés par des menottes qui font mal. Ils voient en effet la voiture s'approcher rapidement et, sur son chemin, un individu qui traverse la chaussée sans précaution. Lesquels, parmi ces spectateurs, ont tenté de pousser un cri d'avertissement, même inutile, lesquels sont restés cois et comme para-lysés, lesquels ont entraperçu une joie trouble, durant un millième de seconde, électriser leur conscience avant que l'attirail nécessaire au traitement de ce genre de situation ne se mette en place?

110

Le conducteur de la voiture sort en hurlant. Il se jette sur Raphaël qui est étendu sur le capot de sa décapotable. Il pleure en poussant des cris. Raphaël reprend ses esprits rapidement alors qu'une foule se forme autour d'eux. Un secouriste prend les précautions nécessaires. Le conducteur porte des lunettes en plastique vert épais et de drôles de vêtements.

Raphaël revient peu à peu à lui. Quand il voit l'automobiliste, il l'inspecte avec méfiance. Et voilà que ça recommence. Des baskets et un pantalon argentés, une chemise blanche et surtout cette maudite cravate avec son image fractale. Il ne tient pas à lui parler.

Il se dresse sur ses pieds et écarte les gens rassemblés autour de lui sans se soucier des questions et des recommandations qui fusent de toutes parts. Il s'enfuit.

Les rues défilent sous ses pas pressés. Il s'arrête devant une vitrine pour inspecter son allure générale, tapote son pantalon, remet sa chemise en place et se recoiffe avec les doigts. Il se colle une cigarette à la bouche et aspire goulûment. Le tabac lui apporte du réconfort. Il fait le point sur sa situation et se remet en route pour être à l'heure à son rendez-vous. L'héroïne de sa pièce de théâtre, Clarisse, fait une apparition dans ses pensées. Elle porte une robe légère pleine de fleurs et de charme, et elle marche sans le regarder mais en se déhanchant un peu trop pour paraître innocente. Elle sait qu'il est là.

Clarisse invente un pré parsemé de marguerites et de boutons-d'or dont elle fait un bouquet. La nature est redevenue bonne pour accompagner ces instants un peu naïfs, mais qui laissent des empreintes profondes au cœur de la mémoire. Des papillons apparaissent dans des couleurs chatoyantes. Ils se regroupent en grand nombre par espèces, formant de grandes traces de couleurs qui s'entremêlent pour dessiner des tableaux aériens. On est en plein été de l'imagination, des rêves s'accrochent aux ailes éblouissantes, un espoir fou vient d'apparaître. Il tourne sur lui-même dans une spirale hypnotique, forme des vents rafraîchissants et soulève l'âme jusqu'au bonheur.

Raphaël se demande si la comédienne qui a interprété ce rôle a jamais senti en elle tous ces paysages qu'il porte en lui. Car le personnage de Clarisse, c'est bien lui qui l'a fait naître. Et il se souvient de la comédienne. Elle s'est embarquée dans son rôle comme sur un radeau, les nerfs tendus à bloc par ce désir insensé de disparaître derrière cet être de mots qu'est Clarisse. Que lui manquait-il pour qu'elle s'accroche à une telle bouée de sauvetage? Mais peut-être qu'il ne lui manquait rien et qu'elle a poussé l'amour de son métier jusqu'au bout, jusqu'à s'évanouir derrière ce masque, jusqu'à en perdre conscience?

Pied gauche, pied droit. Raphaël regarde ses chaussures et remarque une tache de boue. Il se trouve à un coin de rue du bistrot où il doit se rendre. Il s'arrête, regarde cette marque de terre séchée en inclinant la tête. Elle forme un motif vaguement ovale et brun sur fond noir. S'il était peintre, à ce moment précis, il en ferait un tableau du style «Nature morte citadine», avec peut-être une ou deux virgules quelque part.

Quand il entre dans le bar-tabac, Raphaël a un mouvement de surprise. Rien n'a véritablement changé dans cet établissement qu'il connaît bien. La poussière, la couleur marron qui domine, l'impression de rejoindre une autre époque : tout s'insère parfaitement dans ses souvenirs. C'est le patron qui a changé, et la musique qu'il diffuse lui ressemble. Elle procède d'un mélange savant entre toutes les musiques avec, souvent, des passages programmés par ordinateur ou des scratchs; elle est branchée.

— Raphaël, par ici!

Le vieux critique est installé à sa table dans le fond de la salle. Son imperméable est accroché à une patère, celle qui agrémente le mât en bois qui sépare chacune des banquettes en moleskine installées le long des deux murs de l'établissement. Il ne veut pas encore s'en séparer et se méfie des giboulées qui pourraient surprendre ses balades en ville. Il est parvenu à un âge où l'on commence à prendre garde aux intempéries. Il se lève à l'approche de l'écrivain, lui serre la main chaleureusement et l'invite à s'asseoir avec simplicité.

Raphaël n'est pas tranquille. Quand il s'est approché du comptoir, une vision est venue percuter sa rétine avec la force du coup de tête féroce que donne le marchand ambulant le soir quand, seul dans une rue, il se fait accoster trop familièrement. Le nouveau barman bricolait derrière son comptoir et, parvenu près de lui, Raphaël a entrevu un objet tout à fait extraordinaire. Cela ressemblait à un pistolet automatique par la taille et la forme générale, ronde, souple et lisse, mais les matériaux qui le composaient ainsi que son ergonomie laissaient dans l'esprit un sentiment d'étrangeté absolument sidérant. Le type a levé les yeux vers lui, a laissé transparaître une inquiétude soudaine puis a plongé dans ses placards avant de se relever, le sourire aux lèvres :

— Bonjour! Et pour monsieur, qu'est-ce que ce sera?

Il déclare qu'il va y penser et se dirige vers le fond de la salle. Le journaliste exprime une joie suffisamment mesurée pour paraître sincère. Raphaël se cale dans la banquette, bien à l'abri. Avant qu'ils aient pu échanger trois mots, le barman vient leur demander s'ils ont décidé. Et les deux clients se concertent des yeux :

— Un demi?

— Ouais.

Le serveur porte à la ceinture l'objet que Raphaël avait entraperçu. Il est tel qu'il se l'était imaginé. C'est une copie de ces armes futuristes que l'on peut trouver dans tous les films de science-fiction qui prêtent de l'attention aux détails.

— Pas mal, hein? déclare le serveur avec des traces de fierté bien grasses.

Ils se regardent pour chercher une blague ou quelque folie passagère suscitée par la télévision dans les yeux l'un de l'autre.

— Ha! Ha! Ha!

Le serveur a éclaté de rire, mais c'est comme s'il était en train d'essayer de contenir une crise de rage. Tout à coup il se jette sur Raphaël après avoir dégainé son arme :

— Sale Terrien, si tu continues comme ça, on va te régler ton compte.

Raphaël n'a pas le temps de faire un geste. Il est immobilisé, le canon braqué sous son menton. Il s'apprêtait à tenter une riposte quand il sent son agresseur relâcher sa prise et se redresser. Le barman ne cherche pas à plaisanter. Son visage exprime une froide détermination. Il tient toujours son arme à la main, la lève et prononce une phrase lentement, comme s'il s'agissait de l'énoncé d'un problème de mathématiques qui va aller frapper les esprits qui auront cherché à en prendre connaissance.

— Ceci, dit-il en faisant passer l'arme devant les yeux des deux hommes, est le jouet de mon neveu. Est-ce bien clair?

Il a articulé chacune des syllabes avec une application d'enfant qui récite un poème de La Fontaine, puis s'est éloigné en riant, toujours faux, et en disant «deux demis, deux», avec emphase et condescendance. Les deux hommes se regardent et n'osent pas prononcer un mot avant que les demis n'aient atterri sur leur table et que le serveur n'ait disparu dans l'arrière-boutique. Ils font des gestes interrogateurs et s'efforcent d'oublier ce qui vient de se produire. La première question fuse :

— Il faut que vous me parliez de votre nouveau livre. Est-ce un projet d'écriture prémédité, une improvisation, une exploration des grands fonds?

— J'ai tellement aimé le personnage de Clarisse qu'elle me sert pour écrire encore.

Le critique ne cherche pas à dissimuler sa surprise. Il sait que la comédienne qui a interprété Clarisse s'est fait la malle sans prévenir, et que Raphaël a traversé une période difficile.

— Pourquoi?

C'est au tour de Raphaël d'avoir un temps d'hésitation. On jette des tonnes de souvenirs par-dessus bord. Ils vont frapper l'eau avec frustration. Des gerbes bondissent vers le haut, trempent les maillots, les chemises, s'aplatissent sur le sol pour former ces mares qui ont l'air sales et qui gênent les passants. Ça s'est passé sur le port. Il se promenait à la recherche d'un peu d'ordre à mettre dans sa vie. Et soudain elle est apparue au bras d'un homme. D'un autre homme. Ils se dirigèrent vers lui. Comment être sûr qu'elle a manifesté la moindre hésitation? En parvenant à sa hauteur, l'autre a fixé d'un air menaçant cet homme seul qui les dévisageait ainsi. Raphaël a demandé :

— C'est fini, alors?

Et froidement, elle a répondu :

— C'est comme tu veux, mon gros.

Le critique observe Raphaël dont l'esprit navigue avec difficulté et qui se tient silencieux depuis presque deux minutes. «Vous vous sentez bien?» demande-t-il avec un soupçon d'inquiétude dans la voix. «Chercher à concilier un drame amoureux avec le travail d'écriture, c'est l'aventure, ça, mon vieux, se dit-il. J'ai mon papier à livrer dans une heure.»

— Si cet entretien est trop pénible pour vous, si vous ne voulez pas parler de votre livre, ne vous embêtez pas, je vous rappellerai plus tard. Il sent que Raphaël hésite et ajoute : Mais je n'ai pas besoin de grand-chose pour écrire mon article. Je vais reparler de votre pièce et il me faudrait juste quelques généralités sur votre travail actuel.

Attention! Que tout le monde se prépare. Nous allons bientôt nous quitter. La fin approche avec ses godillots et contre elle on ne peut rien.

Raphaël :

— J'ai montré les mille visages de Clarisse dans mon premier roman. Je cherche à présent le seul de ses visages que je ne peux pas connaître.

La nuit

Les briques tracent de longues lignes sur les quatre murs de ta cellule. Ces lignes sont rythmées par le passage d'une brique à l'autre et, à la verticale, chaque brique entrecoupe celle qui se trouve au-dessus et celle du dessous en leur exact milieu. Des effets de perspective hypnotisants soûlent ton esprit. Tu te penches souvent, colles tes yeux aussi près que possible et recules d'un seul coup pour éprouver un soudain vertige et avoir la sensation que quelque chose change.

Les quatre murs sont identiques, de même largeur et de même hauteur. Ils sont propres. Personne n'y a gratté des noms familiers ou scotché des posters qui auraient pu rappeler le monde extérieur en pratiquant des ouvertures, même fictives, sur une autre réalité. Il ne fait pas froid, pas humide. L'air est sain. Rien. Il n'y a rien pour marquer une variation dans cet environnement purifié.

Et les fenêtres. Pourquoi n'y a-t-il pas de fenêtres? C'est un fou qui a imaginé cette cellule. Qu'as-tu fait pour mériter un tel sort? Le rouge des briques et le blanc cassé des joints sont tous les paysages qui te restent. Ce n'est pas une prison ordinaire. Mais qu'y fais-tu? Tu ne connais pas le nombre de jours

– de semaines, de mois, d'années? – qui se sont écoulés depuis ton incarcération. Mais cela ne change rien à ton pitoyable sort.

La porte blindée ne s'ouvre pas de l'intérieur. Elle demeure fermée si hermétiquement qu'aucun son ne parvient de l'extérieur. Le seul bruit est produit par les deux guichets qui percent la porte. Tu es réglé très exactement sur les heures de leur ouverture. Le premier va s'ouvrir dans quelques secondes.

Tu t'agenouilles comme à chaque fois. La grille résonne, l'ouverture du bas ne laisse passer aucune lumière. Mais tu regardes quand même. La lumière de ta cellule, ta lumière à toi, va découvrir deux chaussures en cuir noir, le grand plateau en métal argenté couvert de ta nourriture quotidienne et le pot qui recueillera les excréments que te feront produire tes repas. Tu parles à l'homme doucement. Aujourd'hui tu dis : «La lueur bienfaisante de ma survie ne me donne aucun espoir.» Le guichet se referme.

L'autre occasion où un signe se manifeste de l'extérieur est celle qui te maintient en vie. Le panneau qui coulisse en haut de la porte te permet de le voir. De l'autre côté, la pièce est plongée dans une noirceur au milieu de laquelle un cercle de lumière, à deux mètres de toi, éclaire un homme. C'est lui. Ton seul repère pour comprendre ce qui t'arrive. Il t'a capturé et il vient se montrer. Son costume noir fait ressortir la blancheur de son visage. Il te rappelle quelqu'un, mais tu n'as pas pu te souvenir qui. Avais-tu des ennemis que tu ne connaissais pas? Est-ce une personne que tu as fait souffrir sans le savoir? On inflige tellement de mal sans que notre conscience donne l'alarme. Il n'a pas vraiment d'âge. Au centre du cercle de lumière, les mains croisées, il ne bouge pas. Ses traits demeurent impassibles. Pas de reproches, pas de menaces, rien pour faire penser qu'il exerce une vengeance et que ton emprisonnement est venu, comme une punition, t'aider à purger les fautes dont tu ignores tout.

Tu lui parles. Son immobilité t'a poussé à t'énerver dans les premiers temps, à lui hurler une haine irrépressible. Tu l'as insulté violemment. Plus tard, tu as également tenté de le soudoyer, de lui promettre des sommes folles pour qu'il fasse un geste. Pas pour te libérer. Pour qu'il te dise un mot, n'importe quoi, pour qu'il te conchie si c'est ce qu'il préfère. Mais il est demeuré muet. Alors tu t'es mis à lui parler. Tu lui racontes ta vie pendant les quelques instants où il apparaît. Tu lui racontes tout. Tes désirs, les grandes attentes sur lesquelles tu as réglé le cours de ta vie, tes déceptions, les amours malheureuses qui t'ont fait souffrir, les amitiés qui t'ont marqué, tes déconvenues et toutes les réussites dont s'est composée ton existence jusqu'à ce que. Comme pour le tester, tu en es venu à lui donner de nombreux détails. Des choses sexuelles, des petits riens intimes, des crachats et des pets mal à propos. Tu aurais pu inventer, chercher des faits qui l'auraient contraint à réagir. Mais sans savoir pourquoi, tu as toujours tenté de cerner la vérité aussi près que possible, comme une route où les balises sont à demi effacées et que tu ne veux pas quitter. Et puis tu t'es pris au jeu. Ces minutes pendant lesquelles tu te confies complètement, tu les adores. Tu en arriverais presque à bénir le destin qui t'a poussé dans cette situation. Parce que dire tout, tout ce que tu as dans le cœur, tout ce qui peut irriter, ces actes bénins ou pas qui reviennent te démanger des années après et pour lesquels les remèdes n'existent pas, ça te soulage de les raconter. Il ne réagit pas. C'est encore mieux. Tu n'as pas de remords à avoir ni d'autres freins à mettre au train de ta voix. Tu parles. Il est là. C'est parfait.

Que pourrais-tu faire de ta liberté à présent? Un gâchis. Un monstrueux gâchis. Tu te rappelles pourtant avant. Tu étais heureux. C'était hier. Tu n'avais conscience de rien, mais la vie était belle quand même. Peut-être que tu la retrouverais comme tu retrouvais tes amis ou tes maîtresses le soir, avec beaucoup de joie? Peut-être que tu es malheureux? Tu es probablement malheureux à présent. Tu te vides d'un trop-plein de quelque chose. Des événements que tu ne pouvais plus supporter. Il est certain que tu souffres. Et que se passera-t-il quand tu auras tout dit? Lorsque tes confessions, comme des baleines ayant repris leur souffle, reprendront leur descente vers les fonds marins? L'idée de ce moment te pétrifie. Il faudrait que tu sois libre à ce moment-là, oui, juste au moment où tu auras fini de tout dire, tu seras libre. Et tu le lui dis : «Quand j'en aurai terminé, je serai libre. Et tu ne pourras faire un seul geste. Je serai libre et toi, tu n'auras plus aucune raison d'exister.»

Tu l'as rappelée, ta vie passée. Elle s'est approchée de jour en jour. Et aujourd'hui tu parles de tes derniers moments de liberté, et ton cœur se serre à l'idée de cette fin qui approche. La chemise blanche de l'homme dépasse de quelques centimètres de ses manches. Tu inspectes avec beaucoup d'attention les lobes de ses oreilles, les cernes obscurcis qui font des cercles autour de ses yeux et augmentent encore l'intensité de son regard. Tu recommences ce jour fatidique que tu as passé à te balader. Le dernier.

Tu marches sur le trottoir, l'esprit plein d'allégresse. Tu ne t'étais pas promené en ville depuis longtemps. Les magasins du centre sont animés. La foule t'engloutit dans son agitation. La fin d'après-midi radieuse est bercée par un doux soleil. Aller sans but, au hasard, est un bonheur que tu ne t'es pas permis ces derniers mois. Il fallait travailler d'arrache-pied pour que les affaires prospèrent. Les personnes de ton entourage direct aussi t'ont posé des problèmes. Elles sont toutes en dépression ou n'ont rien trouvé de mieux à faire que de t'abandonner. Quant à tes affaires de cœur, n'en parlons pas. Une véritable catastrophe. Le sentiment d'oppression qui te noue la gorge par moments est insoutenable. Il faut bien continuer pourtant. Et la ville est là qui attend.

Tu entres dans un bar-tabac. Il s'agit d'un établissement dont la décoration a mal vieilli. Des vitrines exhibent les articles qui sont en vente et d'autres qui l'étaient et qui ont été comme oubliés là. Des pipes ancestrales reposent sur de pauvres socles en bois poussiéreux. D'anciennes marques de cigarettes et de briquets font penser que l'on va pénétrer chez un antiquaire. Le bouton de la porte consiste en un énorme rectangle de verre sale, vestige d'une mode sans goût.

Quand tu avances un pied dans le bar, ce sont les rangées de sièges en moleskine marron qui frappent ton regard. Il y a très longtemps, tu te souviens de t'être assis dans un endroit semblable avec des sentiments de confort et de propreté. Tu n'oses pas aller t'y installer de peur de briser un de ces paquets de souvenirs heureux qui te restent.

Le patron a du ventre et une épaisse moustache dans l'ombre de laquelle ses lèvres bougent.

— Bonjour, lance-t-il sur un ton avenant.

Tout à coup, quelque chose te gêne. Tu vois le regard de cet homme au ventre proéminent, sa moustache mal taillée, sa patience et sa placidité, mais il te manque un élément pour comprendre la phrase prononcée par une voix renfrognée : «Moi, à votre place, j'aurais honte de sortir dans un état pareil.» Tes yeux remontent doucement sur son corps et tu observes son visage. Est-ce vraiment sa bouche, pas tout à fait dissimulée derrière la moustache, qui a murmuré ces mots? Derrière toi, il n'y a personne. Seul un habitué, à l'autre bout du zinc, lit son journal en buvant une bière.

Tu as dû rêver. Il t'a simplement salué. Le reste, tu l'as inventé. Ta fatigue et ta lassitude sans doute t'auront fait entendre des voix. Tu reviens vers le patron qui te demande ce que tu désires avec un air étonné. Il te dévisage soudain avec attention.

Que se passe-t-il à la fin? Tu vois son maillot de corps sous sa chemise froissée. Des auréoles de sueur sous ses bras forment des demi-cercles peu ragoûtants. Tu souris et observes les rayons en formica, du même marron triste que les fauteuils. «J'ai autre chose à faire que d'attendre les gens de votre espèce.» Tu quittes les paquets de cigarettes qui ont arrêté ton attention pour revenir aussitôt à ce visage gras. Tu es indigné. Comment peut-on s'adresser sur ce ton à un client? Mais il a un air parfaitement aimable et paraît troublé de surprendre ton air choqué.

À quel jeu joue-t-il à la fin? Il te semble impossible que cet homme ait pu prononcer une phrase aussi vulgaire. Tu ouvres la bouche pour dire quelque chose, mais tu en es incapable. Ta respiration est gênée, tu manques de souffle. Tes bras tremblent comme après un effort. Les images ralentissent soudain. L'unique client, à ta droite, te fait un signe amical qui te paraît tout à fait hypocrite. Il se tape sur l'estomac et, très lentement, vide le contenu de son verre sur le sol. Tu clignes des yeux et déjà il a repris la lecture de son journal comme si de rien n'était.

— Souhaitez-vous le journal ou des cigarettes? demande le patron avec un air poli qui ne t'inspire aucune confiance.

Tu es tombé dans un repaire de tordus.

— Vous parlez le français? Vous comprenez ce que je vous dis? Dou you spique frènche?

Tu es éberlué. Jamais tu ne t'es senti plus ridicule. Le client a quitté son journal et s'approche de toi. Il a un air jovial et te tape sur l'épaule en te faisant un clin d'œil.

— Aï love touristes, dou you sœurch a room?

Plus ils te parlent et moins tu comprends ce qu'ils disent. Comment pourrais-tu leur échapper à présent? La situation est devenue intenable.

Soudain tu sens la main du client glisser dans ta poche. «On va se le faire c't'English, hein l'patron?» Ça y est, ils ne se dissimulent plus du tout. Mais non, quand tu les fixes, ils sourient et paraissent très sympathiques. C'est à n'y rien comprendre. Et puis tu mets la main précipitamment dans ta poche et tu sens ton portefeuille. Il n'a pas bougé et le client s'écarte de toi pour dire : «Cofi, misteur?» Et ils partent à rire tous les deux avec un air de franche camaraderie et des clins d'œil pour toi.

Ta tête bouge de gauche à droite à plusieurs reprises. Ton front se plisse comme si tu cherchais à observer un objet avec attention. Mais où aller? Et tes cigarettes? Tu veux trouver ce pour quoi tu es entré dans ce trou à rats, mais tu as oublié. Quand tu fais un pas en arrière, ils s'arrêtent de rire et t'observent comme si tu risquais de faire une chute. Ils paraissent prêts à bondir pour t'empêcher de tomber. Et tu recules encore en te demandant s'ils vont te sauter dessus. Le bouton de la porte te frappe dans le creux des reins. Tu serres les dents. Ce n'est pas le moment de flancher. Ils se cramponnent au comptoir en ouvrant de grands yeux. Ton départ semble les bouleverser sans qu'ils puissent faire un mouvement pour l'empêcher.

Doucement et sans te retourner, tu ouvres la porte, et comme tu ne sais pas quoi faire pour t'arracher des griffes de ces drôles de gaillards, tu souris en éprouvant toute la fausseté de ce signe de politesse qui aurait pu, peut-être dès le début, t'éviter ces ennuis, et qui maintenant t'impose de considérer ta condition sans faux-fuyants : c'est toi le menteur, c'est toi qui n'as pas su t'exprimer correctement pour communiquer avec tes semblables, et le verdict, implacable, s'abat sur ta tête comme un son de cloche étourdissant. Tu es de ces êtres auxquels on ne peut faire confiance et à cause desquels les histoires les plus heureuses ne peuvent que mal finir.

Le beau soleil est attaqué par une bande de nuages noirs comme de l'encre. Les rues se sont vidées depuis tout à l'heure. Le vent se met à souffler par rafales. Rien de très inquiétant. Dans quelques minutes, il est à parier que l'air sera bien plus agité. Tu n'as pas de parapluie et ta veste ne te protégera pas efficacement d'une averse. Tu conserves cependant une bonne humeur sans faille. Tu voulais des cigarettes et voilà un kiosque, qui imite le style art nouveau, dans lequel tu aperçois ce dont tu as besoin.

Le vendeur porte un pull et une écharpe. Tu réclames tes cigarettes. Il répond :

— 'pas chaud pour la saison.

Cette parole te réconforte. Une personne t'a adressé des mots bien à elle et tu les intègres au cours de tes pensées où ils vont pousser leurs puissants coups de nageoires jusqu'à provoquer un sourire sur ton visage.

— Mais on a quand même eu un bel été, lances-tu, entraîné par une sensation de bien-être apaisante.

— Un bel été, tu parles, il a plu la moitié du temps. Pas moyen de se réchauffer. J'ai même attrapé une grippe. Vous n'êtes pas d'ici, vous?

Tu es interloqué par cette affirmation. Il est vrai que tu es demeuré enfermé souvent pendant l'été mais, tout de même, il t'a bien semblé avoir entendu dire qu'il avait fait beau ces derniers mois. Et puis cet olibrius vit comme une bête traquée dans son kiosque. Il est mal orienté pour recevoir les rayons du soleil. Le temps pour lui doit ressembler à son travail : il est gris et déprimant en général, et noir et désespéré par moments. Tu lui souris.

— Et toute cette grêle qui est tombée, c'est du beau temps, ça? crie-t-il presque, excédé.

— Allons, ne vous énervez pas. Je ne savais pas qu'il était tombé de la grêle. Je travaille beaucoup.

Il appuie ses deux mains sur ses paquets de revues et de journaux et te fixe intensément comme pour vérifier quelque chose. Il fronce les sourcils :

— La grêle, elle est tombée il y a tout juste dix minutes.

Son silence est intrigant. Tu recules la tête sans bouger les épaules et ce sont tes sourcils qui se froncent à présent. Le vendeur balade ses yeux sur le trottoir avec une moue dubitative qu'il t'inflige ensuite avec une méfiance condescendante. Tu regardes à ton tour le sol qui porte encore les traces d'une humidité qui aurait effectivement pu être causée par une averse de pluie ou de grêle.

Tu bredouilles : «Euh, hé bien, oui, c'est vrai... suis-je bête, complètement bête, affreusement bête... la grêle... comment ai-je pu l'oublier... oh, mais vous savez, ce n'est pas forcément un mauvais signe. Si le ciel se débine tout d'un coup, cela nous assure plusieurs jours de beau temps, je vous l'assure...» En parlant, tu as perdu toute assurance. Tu as bafouillé n'importe quoi pour t'en sortir. L'homme lève lentement les mains. Il tient un journal et tu vois apparaître peu à peu la première page du quotidien, dont la manchette te glace le sang : «Alerte au cyclone! Ce soir, restez chez vous!»

Tu sors un gros billet de banque pour te protéger et tu ne dis plus un mot. Tu gardes la tête baissée en attendant ta monnaie. Quant tu le regardes pour le saluer, le vendeur t'observe comme un animal de cirque. Tu lui laisses un gros pourboire.

Tu marches droit devant toi comme un funambule. Les nuages ont disparu du ciel et le soleil resplendit à nouveau. Tu ricanes. Que pourrais-tu faire d'autre? Le manque de politesse des gens, de nos jours, ne t'inquiète pas. Il faut se faire une raison. Le temps passe et balaie comme des fétus de paille les anciennes habitudes. Seules les plus résistantes, les moins subtiles, parviennent à survivre.

Les affiches d'une salle de cinéma à la mode attirent ton attention. As-tu envie d'aller au cinéma? Si la pluie doit tomber, ce refuge te permettrait de passer un bon moment au chaud. Les titres des films ne te disent rien. On ne peut pas connaître parmi les navets d'aujourd'hui ceux que retiendra la postérité pour écrire son histoire. Un film d'action, un drame sentimental, une comédie? Tu optes pour «un film policier psychologique où l'humour fait sa loi», comme l'annonce, reproduit sur l'affiche, l'extrait d'une critique parue dans un journal. Il s'intitule *Clarisse aux mille visages*. Un drôle de nom.

Avant de te diriger vers la salle, tu regardes avec attention l'affiche du film que tu as choisi. Elle se trouve dans une vitrine. De nombreux éléments la composent et, de plus, des jeux de miroirs et de mises en abyme multiplient à l'infini la scène principale qui est représentée. C'est l'image d'un couple. Une femme et un homme, dans une ambiance étrangement surréaliste, semblent réfléchir le bonheur parfait avec des nuances et des arrière-plans très étonnants. Après dix minutes d'examen, tu ne sais plus vraiment s'ils sont une image du bonheur ou du malheur, mais tu es captivé. L'auteur de cette affiche a dû travailler longtemps pour réunir tout ce que peut représenter la vie d'un couple heureux. Tu es séduit et le souhait qui te vient à l'esprit est de plonger dans cet univers sans aucune retenue. Ah! quel plaisir d'oublier ce monde pour aller sonder les hypothétiques devenirs parmi lesquels la réalité fait ses choix à chaque instant pour se renouveler. Cette femme et cet homme te fascinent. Et tu vogues de l'un à l'autre dans des mondes flottants qui envahissent ton esprit. Ils évoluent comme des bulles autour de ton corps, passent librement les uns à travers les autres ou s'évitent parfois pour des raisons inconnues. Une harmonie semble réguler ce ballet féerique dans lequel tu fais quelques pas, de petits sauts un peu ridicules et de grands mouvements avec les bras sans parvenir à faire surgir plus de beauté que n'en suscitent ces bulles fascinantes qui t'entourent.

Tu reviens à toi tout à coup. Une sensation déplaisante est venue perturber ton voyage intérieur. Immobile, tu inspectes encore la vitrine avec attention. L'affiche s'éloigne et la vitre se transforme en miroir pour te permettre d'observer les personnes qui se tiennent derrière toi. Il te faut plusieurs secondes avant de comprendre la raison de ton malaise. Tu reconnais le patron du bar-tabac dans lequel tu es entré cet après-midi. Il porte un jogging jaune, des baskets argentées et un béret rouge. Son accoutrement te stupéfie. Tu ne vois que son reflet et il te paraît déjà totalement ridicule. Et peu discret.

Il a pris la position absurde des policiers ou des détectives qui font de mauvaises filatures. Il se dissimule derrière un journal grand ouvert qui remonte jusqu'à son nez, le dos au mur, et jette à intervalles réguliers – et beaucoup trop rapprochés – des regards dans ta direction. Que fait-il ici? Tu as déjà été victime de pas mal d'histoires étranges dans lesquelles une seule raison avait poussé des gens à entrer en contact avec toi : t'extorquer de l'argent. Le manque d'imagination des escrocs te consterne. Le patron du bistrot ne paraît pas être là par hasard et peut-être te surveille-t-il effectivement? Cependant une chose te chiffonne. Comment un tel individu peut-il espérer parvenir à quoi que ce soit? Il est plus repérable qu'un pont au-dessus d'une rivière. Et ses habits sont tellement grotesques que tu ris tout seul. C'est une farce. Tu te fais encore des idées. Il vient assister à la projection d'un film et c'est par hasard que vous vous trouvez en présence l'un de l'autre. T'ayant reconnu, il t'observe pour la seule raison qu'il t'a vu. Peut-être même souhaite-t-il engager une conversation avec toi alors qu'il attend la projection de son film en se sentant un peu perdu, à son âge, dans cet endroit bâti pour une génération plus jeune que la sienne?

Tu te diriges d'un air distrait vers les toilettes. Avant d'y entrer, tu remarques que le client du bar-tabac qui avait adopté une attitude si étrange à ton égard se trouve devant un comptoir où l'on peut acheter des friandises et des boissons. Il porte les mêmes vêtements que le patron bedonnant. Le hasard ne peut être la cause de leur présence à tous les deux. Et cet accoutrement qu'ils portent te fait penser qu'ils pourraient être les agents d'une même organisation. Et quand bien même. Pourquoi en auraient-ils après toi? Ils sont trop grotesques pour avoir autre chose en tête qu'une bonne plaisanterie à faire à l'un de leurs amis.

Quand tu sors des toilettes, ils sont ensemble. Ils discutent à bâtons rompus. Ils t'aperçoivent et se taisent aussitôt. Le client plonge le nez dans un gigantesque verre de boisson gazeuse. Le patron se baisse pour relacer ses baskets qui n'ont pas de lacets. Tu décides de prendre les choses en main et te diriges vers la salle de projection à vive allure. Tu repères une sortie d'urgence et t'y précipites. Elle te conduit dans une impasse obscure. La nuit est presque tombée. Au lieu de rejoindre la rue principale, tu vas te dissimuler dans la direction opposée. Et tu les vois sortir à leur tour. Ils courent comme des dératés en s'invectivant mutuellement. Ils te paraissent moins balourds dans la pénombre qu'en pleine lumière et leur rapidité te surprend. Ils passent sous un réverbère et tu recules précipitamment. Tu ne peux en être certain, mais il t'a bien semblé qu'ils tenaient chacun un pistolet dans leur main droite. Tu retiens ton souffle et patientes une demi-heure, le temps que d'entre chien et loup la nuit sorte pour couvrir la ville de ses noirceurs.

Tu rejoins prudemment l'artère principale. Les passants sont beaucoup moins nombreux que tout à l'heure. C'est l'heure du repas. Tu observes attentivement les rues. Se pourrait-il que l'on en veuille à ta vie? C'est impossible. Les faits répréhensibles de ton passé le plus récent remontent à la surface de ta conscience pour former des mines entre lesquelles tu navigues avec aisance. De toute évidence, tu cours peu de risques. Voire aucun. Sans être un grand défenseur du bien, tu as évité autant que possible de faire le mal. Et personne ne pourra t'accuser de quoi que ce soit. Pas au point de vouloir mettre fin à tes jours.

Le vendeur de journaux est toujours à son poste. Il a les yeux braqués sur toi et sa tête suit la trajectoire de ta marche sans que les autres parties de son corps, ses bras tendus comme tout à l'heure et appuyés sur ses paquets de publications, qui maintiennent son buste raide, n'esquissent le moindre mouvement. Tu es soulagé de quitter son champ de vision.

Tu retrouves de cette insouciance que tu étais venu chercher en ville et des images apaisantes te reviennent en mémoire. Ce matin même, tu es allé rendre visite à ton ancien chauffeur, qui vient tout juste de prendre sa retraite.

Il habite un pavillon de banlieue entouré d'un petit jardin suffisant pour cultiver quelques fleurs et un potager bien garni. Tu conduisais toi-même ta voiture puisque tu n'as pas encore engagé de remplaçant. En parcourant l'allée de gravier devant la maison de ton ancien employé, tu as ressenti une émotion très soudaine et très forte. Les larmes te sont montées aux yeux pendant quelques secondes jusqu'à ce que tu retrouves ton calme en arrivant devant la porte. Tu as cherché rapidement une raison à cette réaction incontrôlable qui a submergé le rempart de ta volonté comme un raz-de-marée. On ne peut pas dire qu'une amitié profonde vous lie l'un à l'autre. L'émotion que tu viens d'éprouver n'a rien à voir avec cet homme. Vous vous êtes contentés pendant ses quinze ans de service de maintenir un degré de sympathie qui a rarement dépassé le niveau de la politesse élémentaire. Il faisait bien son travail, tu l'as payé en conséquence, tout le monde est content.

Tu es surpris de lire de l'inquiétude sur son visage. Vous êtes assis dans des fauteuils et il vient de vous servir du whisky. Il tient son verre à deux mains et te fixe, puis baisse les yeux sans prononcer une parole. Tu engages la conversation en le complimentant sur son jardin et vous blaguez ensemble jusqu'à en rire.

— Ah! je suis si heureux de voir que vous vous êtes remis. C'est que je me faisais beaucoup d'inquiétude à votre sujet. J'ai même hésité à prendre ma retraite parce que vous m'inquiétiez vraiment.

Il a débité sa phrase d'un seul coup sans que tu puisses émettre la moindre protestation et tu as l'impression qu'un boxeur vient de t'envoyer une série de coups de poing qui te laissent K.-O. Les marques d'affection de cet homme t'ont surpris. Et touché en provoquant un malaise. Tu as devant toi un ami dont tu ne savais rien. Et jusqu'à aujourd'hui, seule sa discrétion t'a empêché d'en prendre conscience. Ta gorge s'est serrée légèrement à l'idée des situations dans lesquelles tu as pu abuser de la bonté de cet homme au nom de la différence de classe sociale qui vous a toujours maintenus éloignés. Pourquoi a-t-il dit que tu allais mieux? Étais-tu malade auparavant? Tu ne l'avais pas remarqué. De quoi as-tu bien pu te remettre? Il t'est impossible de lui demander des détails à ce sujet. Mais tu tentes de réagir pour lui tirer les vers du nez :

— Je me suis reposé et tout va pour le mieux à présent.

— Elle vous a fait beaucoup de mal.

Mais de qui parle-t-il?

— À qui pensez-vous en disant cela? Vous savez, j'ai eu plusieurs soucis ces derniers temps, affirmes-tu avec toute l'assurance qui te reste.

— Je sais. Mais c'est de...

Tu te réveilles, allongé sur le canapé du salon. Il te parle doucement en tenant une de tes mains dans les siennes. Tu te redresses, te grattes la tête, bois le verre d'eau qu'il te tend. Tu poses tes avant-bras sur tes genoux et fixes le sol. Il ne dit rien. Dehors, par la fenêtre ouverte, on entend un chant d'oiseaux, des hirondelles sans doute, qui vont bientôt partir. Il demeure silencieux et le prolongement de ce vide de paroles n'est pas normal. Il a peur de susciter en toi des réactions néfastes. Pourquoi penses-tu une chose pareille? C'est absurde. Et que vient-il de se passer au juste?

— Je suis désolé. Je me suis levé tôt ce matin. Je ne comprends pas ce qui m'arrive.

Il t'observe comme un animal qui ignore qu'on le conduit à l'abattoir et pour lequel on a de la sympathie. Pour rompre le malaise qui s'est installé entre vous, tu annonces ton départ. Il te raccompagne et serre ta main très chaleureusement, comme pour te communiquer une dose de l'énergie qui te manque, te regarde dans les yeux avec une grande compassion et te fait même un au revoir en levant et en balançant une main doucement. Tu pars.

Des flots de gens sortent des restaurants et des habitations. La foule reprend la ville d'assaut et tu t'y mêles, à la recherche d'un endroit confortable pour boire un verre. Sur la place centrale, tu avises le lieu idéal. Un portier te fait entrer avec des marques de déférence. La lumière est tamisée à l'intérieur. Un groupe de jazz joue en sourdine une version molle de *Watermelon Man*. Une serveuse très stylée vient prendre ta commande avec de grands sourires. Le public de cet endroit est discret. Des alcôves permettent à chaque groupe de jouir d'une douce intimité. Un bien-être général plane ici. Tu te laisses bercer par le confort de ton fauteuil. La serveuse t'apporte un cocktail onctueux à base de tequila qui te comble.

Un homme que tu reconnais passe à proximité.

— Jacques! Jacques, c'est moi!

Il est habillé d'un costume noir et son visage fatigué ne reflète aucune joie. Sa chemise blanche dépasse de quelques centimètres de ses manches. Il a des cernes épouvantables autour des yeux. Quand il entend ta voix, il se retourne avec une lenteur incroyable. Tu as l'impression d'être dans un film dont les images défilent au ralenti. Au moment où il en a fini de pivoter sur lui-même, ses yeux viennent se planter dans les tiens comme des couteaux dans une viande saignante. Il est terrifiant. Son allure générale a bien sûr changé. Ce n'est plus le type en forme que tu connaissais. Le plus troublant toutefois est cette lueur que tu viens de contempler pour la première fois dans son regard et qui n'appartenait pas à ton vieil ami. C'est sa personnalité entière qui a connu un bouleversement inhumain. Qu'en est-il de ce franc luron avec qui tu allais t'arsouiller? Tu as en face de toi l'image renversante d'une âme maudite. Aucun signe précis n'indique ce changement intérieur que tu ressens avec une intensité troublante. Une aura très particulière cependant émane de lui. Il n'est plus présent à ce monde. De quelle région inconnue des cartes de géographie te lance-t-il un bonsoir glacial? L'univers qu'il habite désormais te terrifie. Autour de son cou, telle une laisse, tu aperçois des marques noires semblables à un collier qui se serait incrusté dans sa peau. Elles apparaissent par moments, quand il fait certains gestes.

— Jacques, je suis si heureux de te revoir. Comment vas-tu? parviens-tu à demander avec suffisamment d'entrain.

Il est muet et t'observe, debout. Et il accomplit de curieuses contorsions. Sur son corps parfaitement fixe, sa tête bouge à la verticale dans tous les sens. Il semble désirer t'inspecter sous toutes les coutures comme une bête curieuse. Le long silence qui suit devient, malgré ta bonne volonté, très pesant. Jacques finit par déclarer :

— Oh non, je ne t'ai pas perdu de vue, moi. Je sais bien comment tu vas, alors ce n'est pas la peine d'essayer de me l'expliquer. D'ailleurs il n'y a rien à expliquer.

Tu as dû mal entendre. Le cocktail est très fort, une sensation d'ivresse voile ton esprit que l'ambiance de cet endroit avait déjà engourdi. Mais tu as la sensation d'avoir reçu une décharge électrique. Et tu regardes ton ami avec une attention soutenue. Il ne semble pas s'en soucier et tire de la veste de son costume une photo qu'il inspecte avec soin, comme si tu n'étais pas là. Puis il te la tend.

— Tu les connais, n'est-ce pas?

Sur la photo figurent les deux hommes que tu as vus à deux reprises aujourd'hui, dans le bar-tabac et dans le cinéma. Ils portent leur accoutrement ridicule et tiennent dans leur main leur béret rouge, serré contre leur cœur. Une chose t'étonne. La photo semble avoir été prise dans ce cinéma où tu te trouvais tout à l'heure puisque, derrière eux, tu reconnais l'affiche du film que tu devais aller voir. Tu questionnes Jacques qui se contente de te regarder fixement en agitant la tête de gauche à droite dans un geste de désapprobation méprisant.

— Ceux-là sont de gros calibres. Tu n'es pas de taille. À ta place, j'abandonnerais tout de suite.

Tu veux te lever pour forcer Jacques à te livrer des explications; or, quand tu te trouves à la verticale, non seulement tu éprouves un vertige de t'être redressé trop précipitamment mais, en plus, il a disparu. Tu le cherches partout avant de revenir t'asseoir et de terminer ton verre. Les questions voguent en toi comme sur un océan trop calme. Le vent a déserté. L'ennui reste, qui ronge les minutes pendant lesquelles tu réunis les éléments qui pourraient te servir à y voir plus clair. Tu sens des menaces vagues qui font surgir de ces peurs face auxquelles on demeure totalement désarmé, comme des enfants ou des explorateurs parvenus aux confins des terres connues. L'inconnu te fait peur et te tétanise. Ta gorge est un nœud coulant qui bloque ta respiration. Tu éprouves la sensation de sombrer dans un lieu inquiétant. Est-ce ce bar qui vient de connaître une profonde transformation après le passage de ton ami? Pourquoi penses-tu une chose pareille? Tu es fatigué et tu dois aller te coucher. Tu te lèves péniblement. La serveuse te paraît exprimer du mécontentement. Avec le pourboire que tu lui as laissé, cela t'étonne. De nombreux clients sont arrivés. La musique joue plus fort. Une section de cuivres est venue compléter le groupe initial. Tu cherches désespérément ce qui a changé depuis ton entrée et tu ne trouves rien. Ce sentiment d'avoir été transporté dans un monde différent ne cesse de t'effrayer. D'ailleurs, où pourrais-tu bien être?

Tu es immobile et sans force, et malgré toutes les questions qui circulent en toi, une inertie face à laquelle tu demeures impuissant paralyse chacun de tes muscles. C'est à ce moment-là probablement que tout a basculé. L'ambiance surchauffée, ces gens qui vont et viennent, la serveuse qui te dévisage car tu ne fais pas un geste, debout, perdu au milieu de l'agitation générale, de l'alcool qui circule dans tes veines, de la musique qui augmente encore ton trouble, et cette apparition soudaine comme si des monstres avaient surgi pendant le rêve heureux qui te permettait de dormir, empli des fantasmes les plus exubérants qui fracasseraient ta raison si tu tentais de les imaginer; ils sont apparus comme des éclairs dans un ciel d'orage. Les deux. Ils sont aussi étrangers à ce que tes yeux identifient autour de toi qu'une baleine dans un vaisseau spatial. Qui sont-ils? Tu tentes de comprendre ce qui leur confère une telle excentricité. Les vêtements qu'ils portent ne surprennent personne. Comment sont-ils entrés ici? Leur démarche, peut-être, est vraiment d'ailleurs. On pourrait penser que les sens qu'ils utilisent pour percevoir la réalité et se diriger ne sont pas les mêmes que les tiens. Ils ne paraissent pas utiliser la vue d'une manière habituelle. Quand ils progressent entre les tables, souvent ils se cognent ou renversent des verres. Mais personne n'y prête attention. Soudain tu réalises que tu as mal apprécié cette particularité. Les gens réagissent en effet aux coups de coude ou d'épaule qu'ils reçoivent de ces êtres, mais pas immédiatement. Et le décalage temporel que tu observes n'est pas le même pour tous. Certains se retournent trois ou quatre secondes après que leur verre est tombé au sol et d'autres demeurent insouciants pendant près de vingt secondes. Tu n'as jamais vu une chose pareille. Toi-même, es-tu bien sûr de les voir au moment où ils sont en train de parcourir la salle ou perçois-tu aussi leurs mouvements avec retard?

Tu t'engages dans l'allée de tables qui conduit à la sortie. Tu te rassois rapidement car tu les vois se diriger vers toi. Un groupe de quatre hommes se trouve à la table que tu bouscules en y prenant place. Les verres valsent. Ils ne réagissent pas. Les deux êtres passent sans te voir et se dirigent vers le fond de la salle. L'un des quatre hommes attablés à tes côtés pousse un cri en constatant que son verre s'est vidé sur son pantalon. Tu bondis vers la sortie en tentant de te dissimuler. Les trois autres hommes se lèvent pour émettre des protestations bruyantes. Tu ne regardes pas encore en arrière, mais tu entends les voix d'une dispute. La porte est ouverte. Au moment où tu la franchis, une lampe explose à ta droite sans attirer la moindre réaction de la part du portier. Tu sors en jetant un regard derrière toi. Les deux créatures au béret rouge te tiennent en joue. Elles se trouvent trop loin pour tirer avec précision. Des hurlements commencent à retentir et la musique s'interrompt. Tu te mets à courir dans la rue. La panique fait trembler tes jambes. Tu hèles un taxi qui passe sans te voir. Tu cours.

Ton esprit est plongé dans la nuit. Des coups de feu résonnent. Et des cris, dans une langue que tu ne reconnais pas. Tu parviens devant une station de taxis. Le chauffeur ne réagit pas immédiatement à ta demande.

— Démarrez… vite, je suis pressé… Mais allez-vous démarrer à la fin!

Que dois-tu faire? Cinq longues secondes s'écoulent au bout desquelles il te dit bonsoir et met son moteur en marche. Tu lui donnes ton adresse en te demandant ce que cela pourra changer de te trouver chez toi plutôt qu'ici. Tu regardes par la lunette arrière. Les baskets argentées de tes deux poursuivants brillent par intermittence dans la nuit. Ils courent comme s'ils ne savaient pas se servir de leurs jambes, mais progressent avec une grande rapidité. Ils ne sont plus qu'à une dizaine de mètres lorsque ton taxi rejoint la route. Tu tends des billets de banque au chauffeur en le suppliant de se dépêcher. La voiture accélère, cinq secondes plus tard.

Les tueurs ouvrent la porte d'un taxi, en éjectent son chauffeur qui va rouler sur le trottoir sans protester, et plongent dans la voiture pour se lancer à ta poursuite.

Tu pousses un cri en voyant ton chauffeur brûler un feu rouge sans s'apercevoir qu'un camion arrive sur la droite. Mais rien ne se passe et vous filez dans la ville. Tu entends le camion qui percute un obstacle invisible et tu te retournes pour le voir faire un tonneau au milieu de la chaussée. Tu penses demander au chauffeur s'il possède une arme à feu, mais tu te ravises au dernier moment. Il refusera de toute façon de te la vendre. Alors tu opères un aller-retour très rapide jusqu'à sa boîte à gants. Rien. C'est sous son siège que tu trouves un pistolet automatique. Tu connais ce modèle.

Sans que le chauffeur réagisse, une balle vient transpercer la voiture d'arrière en avant. Tu ouvres ta fenêtre au moment où il lâche une série de jurons. Comment pourrais-tu t'en sortir? Tes poursuivants prennent des risques insensés. Ils semblent de toute façon indifférents aux obstacles qui peuvent entraver leur chasse. Ils s'approchent et tu sens les battements de ton cœur qui cognent ta poitrine comme des coups de marteau. Tu les mets en joue et tu fais feu. Leur voiture fait des embardées, et ils cessent de tirer en restant à distance.

Tes chances de leur échapper étaient de toute façon bien minces. Ce qui s'est passé t'a pourtant projeté dans des abîmes obscurs. Ce que tu as vu ce soir-là, jamais auparavant tu n'aurais pu penser que cela pouvait exister. Un rayon de lumière bleue incandescente a transpercé la nuit de part en part et, au bout de sa course, une explosion terrifiante a retenti. Là, une maison s'est à moitié écroulée sur elle-même. Tu regardes ton pistolet. D'autres éclairs ont formé un feu d'artifice qui s'est gravé dans ta mémoire. Cette situation insensée, en pleine ville, a ouvert en toi une longue route vers les contrées les plus éloignées. Sans réfléchir, tu t'es précipité à la rencontre d'une peur que rien ne te préparait à affronter.

Ta voiture a été frappée de plein fouet, le chauffeur s'est volatilisé comme s'il n'avait jamais été là. Et tu es resté conscient quand l'automobile s'est immobilisée. Tu les as vus s'approcher avec d'étranges armes très imposantes. Ils te tenaient en joue. Tu as jeté ton arme par terre et tu es sorti du véhicule en mettant, dans un geste ridicule, tes mains en l'air.

«Ils m'ont emmené jusqu'à un terrain vague et m'ont assommé. Je ne me rappelle rien d'autre. Voilà, je t'ai tout dit», déclares-tu avec une émotion mal contenue, ne sachant si la mort qui a attendu son heure avec patience va maintenant venir récolter ses fruits en ricanant.

Il est toujours immobile dans le petit rectangle à travers lequel tu le vois, chaque fois, comme un spectateur insensible mais fidèle, se tenir devant toi pour t'écouter ou peut-être simplement constater que tu es là. Et la tension qui a crû au fur et à mesure que tu t'approchais de la fin de ton histoire poursuit son élévation alors que le silence demeure et que tu attends un événement qui finit par se produire. Il décroise ses mains lentement, se retourne et part. La lumière s'éteint. Le guichet qui t'a permis de survivre pendant tout ce temps demeure ouvert et un bruit nouveau résonne. La porte s'ouvre.

Et devant toi une nuit noire et insondable étend ses bras démesurés à l'infini.

Le rémora

Le tableau est encadré avec sobriété. Il est placé sur le mur du petit salon, celui où Serge Lamontagne prend ses repas, écoute de la musique et préfère en général s'installer pour méditer à loisir. Deux grandes portes-fenêtres laissent entrer les rayons du soleil de la fin de l'été. Il fait suffisamment chaud pour qu'elles demeurent ouvertes sur la terrasse et, au-delà, sur le jardin. Une grande fontaine en pierre sert de bassin à des poissons qui tournent sans fin dans leur prison dorée. Un jet produit ces sons à la fois continus et toujours changeants de l'eau qui, au milieu de la fontaine, vient choquer une large ellipse de marbre aux dessins préhistoriques stylisés.

Il se tient sur le seuil d'une des portes-fenêtres. Le bas de son corps se trouve dans la lumière, son buste et sa tête à l'ombre. Il regarde l'eau couler en filets mobiles tout autour de la plaque de marbre et apporter de la fraîcheur aux animaux qui la décorent. La météo avait annoncé des averses. Le jardinier et son nouvel assistant sont en congé. Ils doivent rager de perdre l'une de ces belles journées dont le nombre décroît à l'approche de l'automne.

Serge avance en pleine lumière. Ses yeux clignent. Il marche jusqu'au bassin et s'assoit. Sa main droite entre dans l'eau et fend l'onde en petits cercles dont les vagues vont s'écraser contre le bord du bassin ou les nénuphars fleuris. Le plein soleil vertical de ce milieu de journée l'assomme d'une lourde torpeur. Sa main ralentit. Il observe les poissons avec détachement. L'un d'eux circule dans des courbes énervées. Sa gueule s'ouvre et se ferme sans raison apparente. Serge l'examine dans les mouvements de l'eau. Les images sont troubles, dessinent des trajets imaginaires, ondulent la surface des écailles rouges en plis invraisemblables et provoquent parfois le dédoublement de la bête ou de certaines parties de son corps.

Il songe à Jacques, son meilleur ami, le seul à le comprendre. Son visage ne reflète aucune émotion particulière. Jacques fait un séjour dans un hôpital psychiatrique. Il a traversé une période très éprouvante, a tenté de se pendre et rien ne laisse prévoir qu'il se remettra avant longtemps. Serge ignore les raisons qui ont fait un fou de son ami. La chute a été très soudaine, presque instantanée à vrai dire.

L'idée d'un précipice se forme dans son esprit. En bas, c'est le fond. Une bande noire et effilée très lointaine lui donne le vertige. Est-ce vraiment ainsi que les choses se passent? À un moment le monde vous sourit, vous travaillez, vous vivez avec cette idée encore puissante que les lendemains vous offriront du bonheur malgré les difficultés qui vous barrent le passage de temps à autre.

Serge tient sa main droite immobile dans l'eau. Le poisson rouge traîne autour. Soudain, il le saisit et le sort de l'eau. Il doit le tenir à deux mains. Ses traits expriment toujours une lassitude égale. Les écailles miroitent au soleil, et le poisson devient beau dans ce combat pour la vie qu'il mène avec une rage désespérée.

Et puis votre idée du bonheur enfle. Elle prend de plus en plus de place. Elle vous obsède. Vous devez être heureux. Tout le reste perd de sa consistance. Votre idée finit par occuper des zones considérables dans vos pensées. Vous trouvez de nombreux arguments qui démontrent l'existence du bonheur. Vous lavez votre idée, vous la parez des plus beaux vêtements. Elle a fière allure! Le bonheur est devenu votre idée fixe, vous allez jusqu'à imaginer qu'il coule dans vos veines et remplace le sang qui palpite à chaque seconde et cogne et lutte pour conserver sa place. Rien à faire : le bonheur est partout. Il habite votre passé, cerne les moments de détresse qui vous accablent pour les réduire à l'impuissance et s'en va, les armes à la main, détruire cet avenir qui vous attendait et dont il ne reste plus qu'une vague illusion boursouflée de tous les côtés.

Serge approche le poisson de son visage et ouvre la bouche. Et il lui arrache la tête entre ses dents qui claquent.

C'est alors que votre idée éclate. Elle gicle dans tous les sens. Elle dégouline comme une sauce rance qui pue la mort. Elle vous submerge. Vous manquez d'air car elle entre dans votre gorge et en quelques secondes vous perdez tout. Elle vous asphyxie. La réalité vous échappe. Vous haletez sans trouver d'issue. Vous êtes fini. Vous disparaissez dans un siphon qui ne conduit nulle part. Adieu.

Le centre-ville est plein d'une animation fébrile. Les passants ont envahi les trottoirs. Des haut-parleurs jettent des cris tapageurs et irritants. C'est la fête.

Dans un appartement, juste au-dessus de cette agitation, un homme porte des boules Quies. Il se tient debout et regarde par la fenêtre. Son salon est en ordre. Des napperons protègent la petite table sur laquelle est posé un téléphone ainsi que celle supportant un cendrier propre et reluisant. Il regarde sa montre. Treize heures moins trois minutes. Il se dirige vers la salle de bains. Des carreaux à fleurs de couleur mauve ont été utilisés pour pouvoir transformer la baignoire en douche sans faire de dégâts. Les mêmes carreaux sont présents sur une bonne partie des murs. Et la couleur mauve domine dans la pièce. Que ce soient les ustensiles habituels, la brosse à dents et son verre, le rasoir, le porte-savon, les produits de beauté, les robinets, la poire et le rideau de douche, la descente de bain ou les placards, tous ces objets sont de couleur mauve. C'est d'une laideur sans nom.

L'homme avance et ne fait pas traîner ses pantoufles par terre. Il entre dans la salle de bains où il ôte ses protections auditives, les lave et les range dans leur étui. Il sort et n'effleure pas les murs au passage. Il se dirige à petits pas vers la porte d'entrée de son appartement. Il s'arrête et regarde à nouveau sa montre. Dans dix secondes il sera treize heures et il attend, les yeux rivés sur le cadran, laissant les aiguilles passer lentement d'une seconde à l'autre dans ce mouvement implacable qui hoquette presque, si on l'observe de près et que la mécanique n'effectue plus son avancée régulière et sereine, mais dispense plutôt des coups, presque sourds sous les yeux attentifs, martelant leur loi sans peur avec l'infatigable exactitude des bourreaux.

La sonnette n'a pas le temps de faire entendre toute sa mélodie. Il a déjà ouvert la porte. Une femme se trouve sur le palier, la main encore dans les airs. Elle est surprise.

— Vous êtes en retard, affirme-t-il.

La femme le regarde dans les yeux sans ciller. Sa beauté lui confère une armure impénétrable. L'homme s'efface pour la laisser entrer. Il la débarrasse de son manteau, d'où elle tire une enveloppe, lui montre la paire de patins destinés à protéger le parquet et la conduit jusqu'au salon où elle s'assoit.

— Notre ami commun m'avait prévenu de ne pas compter sur votre ponctualité. Vous voulez boire quelque chose?

Il se tourne vers les bouteilles placées sur un buffet, remplit un verre de whisky sec qu'il lui tend et se verse un demi-verre de jus d'orange sans glaçon. Il l'observe avec beaucoup d'attention. Dehors un camelot harangue la foule. Il vend de la vaisselle et brise des assiettes pour attirer l'attention.

— Il me faut être sûr que vous êtes une personne sérieuse, chère madame. Vous souhaitez éliminer la vie d'un être humain. C'est une décision grave. Elle pèsera sur votre conscience tout le reste de votre vie. Vous le savez?

La femme demeure silencieuse et pleine d'assurance.

— Si je vous pose cette question, ce n'est pas seulement pour vous mettre en garde contre vous-même. Il faut que vous sachiez que les lois de mon métier sont très dures.

L'homme tourne lentement la tête vers un mur où une tapisserie bon marché représente une scène de chasse à courre. Un cerf gigantesque est assailli par une meute de chiens et des chasseurs qui s'apprêtent à l'abattre. Le cerf s'est cabré, majestueux. Ses bois dressés vers le ciel traversent le soleil rougeoyant qui resplendit au-dessus de la forêt.

— Si vous trahissez d'une façon ou d'une autre le contrat que nous sommes sur le point de passer, je me verrai dans l'obligation de vous éliminer. Je veux être honnête avec vous. Quand vous sortirez d'ici, votre vie aura changé. Est-ce bien compris?

La femme est attentive, mais ne manifeste aucun signe de crainte. Elle sort une cigarette qu'elle allume.

— Je sais tout cela, je vous remercie. J'ai noté là-dedans toutes les informations qui pourraient vous être utiles, dit-elle en posant une enveloppe. L'homme se nomme Serge Lamontagne.

Le centre hospitalier forme un vaste ensemble d'édifices. Quelques pavillons sont neufs, mais la plupart donnent l'impression d'être en mauvais état. On se demande même comment l'idée de santé peut s'associer aux anciens bâtiments préfabriqués, construits pour parer au plus pressé, et qui sont restés comme ces objets dont on ne veut plus et qui demeurent pourtant dans notre vie. Ces petites maisons tristes ont été installées au milieu du parc bordant l'hôpital. Serge gare sa voiture. De nombreuses personnes se baladent. La température est élevée et chacun cherche un peu de fraîcheur sous les arbres.

Jacques peut circuler librement et Serge le cherche des yeux. Il vient lui rendre visite chaque semaine depuis plus de six mois. Aujourd'hui il tient un paquet volumineux à deux mains en s'avançant dans l'allée goudronnée qui mène au service de psychiatrie. Malgré sa piteuse apparence, l'établissement est très réputé et Serge a tenu à y faire transférer son ami. Il reconnaît un infirmier et lui montre le climatiseur qu'il veut offrir à Jacques.

— De mon point de vue, c'est parfait, mais essayez de lui demander ce qu'il en pense, propose l'infirmier avec bienveillance.

Il poursuit sa marche et quitte le goudron pour s'engager sur la pelouse. Jacques est assis le dos appuyé à un platane. À ses côtés se trouve un homme d'une trentaine d'années, vêtu d'un costume clair et élimé.

— Bonjour, Jacques, bonjour, monsieur. Comment vas-tu avec cette chaleur? demande Serge sans chercher à exprimer plus d'entrain qu'il n'en a. Tiens, c'est pour toi, dit-il en lui tendant son paquet.

Jacques ne dit pas un mot et l'observe avec un détachement tranquille. Il a pris son cadeau pour le poser à terre sans l'ouvrir.

— C'est un appareil pour climatiser ta chambre. Est-ce qu'il te plaît?

L'homme en costume prend la parole.

— Je crois que Jacques est très heureux parce qu'il aime votre présent. Je ne sais pas si vous pouvez sentir comme moi sa joie de vivre. Il me semble que vous devriez vous asseoir avec nous. L'après-midi est très beau. C'est un temps idéal pour discuter entre amis.

Serge se baisse et prend place contre le tronc d'arbre à côté de Jacques. Il déplie ses jambes et bascule la tête contre le bois. Il sort des cigarettes, en propose et allume celle du jeune homme et la sienne. L'inconnu semble avoir un tempérament très doux et très attentif. Il fume avec délectation avant de prendre la parole.

— Jacques m'a parlé de vous. Figurez-vous que nous portons le même prénom. Eh oui, je m'appelle Serge également. N'est-ce pas une coïncidence troublante? Moi, elle me touche et je vais me permettre de vous parler comme si vous étiez mon ami. Avoir le même prénom, cela ne suppose-t-il pas d'emblée toute une série de points communs? Je n'irais pas jusqu'à dire que nous sommes des doubles l'un de l'autre, mais il me semble que je peux vous parler franchement. J'ai un drôle de problème qui m'empêche pour l'instant de quitter cet endroit. Mon problème est une question qui va peut-être vous paraître étrange. Je regarde les gens qui m'entourent. Tout le monde a l'air de s'en sortir dans la vie et certains affirment même connaître le bonheur. Quelque chose cloche là-dedans. Comment peut-on en effet prétendre vivre heureux alors que l'on est emprisonné de la manière la plus arbitraire? Vous voyez ce que je veux dire? Qui nous a enfermés? Quel est le cerveau malade qui a pu imaginer ces prisons dont on ne peut s'échapper? Je ne sais pas si vous me comprenez. Je vois toutes les personnes qui se tiennent tranquilles dans ces cages sans fenêtre et j'éprouve de la peine, pour elles et pour moi. Ne devrait-on pas nous autoriser à sortir de temps à autre? Ma question est la suivante : comment faites-vous de votre côté pour supporter votre emprisonnement?

Serge a écouté cet homme qui lui fait face. Il a concentré toute son attention sur les mots prononcés par le Serge qu'il n'avait jamais rencontré jusqu'à présent, sachant par avance qu'il allait entendre des paroles pleines de ce sens qui s'échappe dans des directions toujours surprenantes. L'homme ne prend pas cet air un peu agressif de ceux qui veulent des réponses. Son attitude décontractée invite à la réflexion. Serge se sent bien. Il se lève, salue Jacques et serre chaleureusement la main de son homonyme.

— Je ne sais pas si je suis satisfait, mais je suis heureux de vous avoir rencontré, déclare-t-il en souriant avant de s'avancer vers la sortie à travers l'herbe et le soleil.

Il rince son rasoir violet en inspectant la qualité de son rasage. Il applique sur sa peau irritée par la lame une lotion rafraîchissante dont les capiteux effluves de violette lui font fermer les yeux et prendre une inspiration profonde mais légère.

Il ne quitte pas sa salle de bains avant de l'avoir remise en ordre. Ses patins aux pieds, il gagne sa chambre où il passe un pantalon à pinces noir et une veste noire, d'un autre âge et pourtant comme neuve, elle aussi. Sa cravate en laine beige rayée de bleu marine est de celles qui reviennent à la mode chez les jeunes gens les plus excentriques. Dans la cuisine, son bol de café est resté sur la table. Un fond de jus noir comme de l'encre y a refroidi. Il le boit dans un lent mouvement qui se termine par un coup sec et un soupir de satisfaction. Il place le bol vide, comme chaque matin, dans l'évier.

Quand il descend l'escalier de son immeuble, il tient une valise à la main. Il salue la concierge qui lui tend trois enveloppes publicitaires, une lettre non timbrée qu'un coursier a apportée quinze minutes auparavant et le grand quotidien dans lequel il pourra contrôler les résultats des courses hippiques de la veille. La concierge veut absolument lui parler du nouveau propriétaire, mais il s'éclipse car il est pressé.

Les transports en commun sont peu encombrés en cette fin de matinée. Il parvient rapidement dans le quartier résidentiel de luxe dont les grandes maisons devraient toutes être belles. Pourtant de nombreuses constructions au prix faramineux sont laides. Leur architecture ou les jardins qui les entourent sont souvent d'un mauvais goût décourageant. Il parcourt les trottoirs en observant tout ce qui l'entoure. Il parvient le long d'un mur au-dessus duquel frémissent les feuillages d'arbres centenaires. Les grilles d'entrée s'ouvrent sur une longue avenue de platanes majestueux au bout de laquelle une maison de maître aux lourdes pierres pose son autorité.

Il ouvre la grille réservée aux piétons et s'avance dans l'allée de gravier qui serpente jusqu'à la maison. Personne ne se présente à lui et personne ne répond à ses appels. Il contourne la maison et il aperçoit enfin un homme assis sur le bord d'un bassin. L'individu se trouve en plein soleil, ses deux mains tiennent un poisson dont les écailles rouges jettent des reflets dans tous les sens et soudain, sans raison apparente, il décapite le poisson avec ses dents, en laisse tomber le corps encore plein de spasmes et se dirige d'un pas égal vers la maison.

L'homme a observé cette scène avec de fréquents haussements de sourcils. Il tourne les talons et constate que Lamontagne sort de sa maison, entre dans une remise pour en ressortir presque aussitôt au volant de son énorme Bentley. Le visiteur est passé totalement inaperçu. Il court dans le garage. Une vingtaine de voitures y sont garées. Il fonce vers le modèle le plus courant, en ouvre la portière et constate que les clés sont dans la boîte à gants.

Il démarre en trombe et parvient sans mal à rattraper le fameux Lamontagne. Il le suit à une distance raisonnable, pensant qu'il ne risque pas de se faire repérer. Il pénètre dans le centre hospitalier et gare sa voiture d'emprunt. Il descend et se dirige vers des bâtiments préfabriqués sans âge. Il a vu la photo de l'ami de Lamontagne et il le cherche des yeux, debout dans une allée goudronnée.

Des infirmiers apparaissent. Ils ont quitté leur poste de travail pour se mettre à courir dans l'allée. L'homme se retourne pour chercher une raison à cette précipitation. Aucune ambulance n'est garée dans le parking, aucun individu ne semble manifester de comportements dangereux. Il a craint pour lui-même pendant un instant. Il reprend son chemin et voit les infirmiers qui continuent à courir comme des dératés dans sa direction. Quelque chose ne va pas.

Il se retourne à nouveau, pose les mains sur ses hanches et sent une tension anormale grésiller le long de sa colonne vertébrale. Des femmes et des hommes sont assis ou marchent sur la pelouse, le soleil chauffe, il est près de midi. Il opère un tour complet pour s'assurer de l'absence de tout danger. Rien. Il n'est pas tranquille. Il transpire plus que de coutume. Les infirmiers se trouvent à cinq mètres de lui. Il n'a pas de raison de s'en faire, ils doivent avoir une urgence et vont prêter assistance à une ambulance qui va arriver. D'ailleurs une sirène a résonné au moment où il a pensé au véhicule surmonté de son gyrophare et poussant ses cris d'alerte. Il soupire et reprend sa progression.

Les infirmiers arrivent à sa hauteur et se jettent sur lui. Il proteste au moment où ils le plaquent au sol sans ménagement. Il ne se débat que pour affirmer son innocence, crier son nom, «Mais regardez mes papiers, enfin, vous faites erreur». Les infirmiers n'écoutent pas ses paroles et ne prononcent pas un mot. Ils se contentent de le tenir solidement et de le traîner dans l'allée de goudron. Des personnes se sont intéressées à cette scène. Le spectacle d'un homme que l'on emmène de force attise toujours la curiosité. Certains lui lancent des salutations avec des regards tristes ou des sourires moqueurs.

Serge stoppe sa voiture. Sa jeune bonne, une Hollandaise charmante nommée Hilda, est assise sur les marches qui mènent à l'entrée de la maison. Elle lit une grammaire française.

— Bonjour, Hilda.

— Bonjour, monsieur.

— Vos cours vous ont fait faire de prodigieux progrès. Vous êtes très douée.

Hilda parle encore avec un accent à couper au couteau, mais elle comprend à présent tout ce qu'on lui demande. Elle lui sourit en le remerciant pour sa gentillesse. Il ne lui reste que quelques pages à lire avant de s'attaquer aux nombreuses fenêtres de la maison. Serge sourit également avec franchise, affirme qu'elle ne doit pas négliger son apprentissage et que les fenêtres peuvent attendre au lendemain. Il la quitte ensuite et entre chez lui.

Il traverse le vestibule et pénètre dans ce qui constitue une sorte de hall par lequel on peut accéder aux multiples pièces du rez-de-chaussée et à l'étage par un large et somptueux escalier. Il se rend dans son bureau pour prendre un numéro de téléphone. Le bout de papier sur lequel il l'avait noté est introuvable. Il réfléchit un instant puis sort du bureau pour se rendre dans la cuisine. Marguerite, la bonne la plus âgée, est attablée. Un grand bol de café et un paquet de gâteaux au chocolat – ceux qu'affectionne particulièrement Serge – se trouvent devant elle, sur la table jonchée de miettes et de gouttes de café.

— Bonjour, Marguerite, je cherche un papier bleu avec un numéro de téléphone noté dessus. Vous ne l'auriez pas vu par hasard?

La bonne sourit, salue son employeur et affirme l'avoir vu. Elle se lève pour aller se laver les mains, les essuie et sort le papier bleu de son tablier.

— Je n'ai pas mes lunettes sur moi, mais j'avais bien vu qu'il y avait des choses écrites dessus. J'attendais avant de le jeter d'être sûre que ce n'était pas important.

— Oh! merci, Marguerite, vous êtes toujours aussi attentionnée. Je vous adore. Merci. Vraiment, je ne sais pas ce que je ferais sans vous.

La bonne se rassoit en le traitant de flatteur et elle reprend un biscuit au chocolat alors que Serge s'éloigne en lançant que l'inflation galope et que les augmentations vont bientôt arriver.

Il traverse le hall et entre dans le petit salon. Un canapé en cuir fait face à un âtre propre et sans feu. Les deux portes-fenêtres ont été fermées depuis son départ et des persiennes en bois ont été rabattues pour préserver la fraîcheur dispensée par les pierres de la maison.

Le jardinier se trouve à l'extérieur. Serge met un vieux disque de cool jazz de Herbie Hancock. Il voit le jardinier s'approcher, l'entend frapper et ouvrir une porte.

— Je m'excuse de vous déranger, mais je viens de trouver un poisson avec la tête arrachée sur la terrasse. Je ne sais pas ce qui s'est passé.

— Vous ne me dérangez pas. Oui… le poisson… j'ai voulu goûter. Ce n'est rien. J'aurais dû jeter le reste à la poubelle. Ça ne vaut pas un bon saumon grillé.

Le jardinier paraît rassuré.

— Je préfère ça. Je me demandais comment il s'était retrouvé dans cet état.

Ils rient tous les deux et l'employé sort en s'excusant à nouveau pour le dérangement.

Serge s'installe sur le canapé. Il saisit un livre qu'il a déjà lu. Il s'agit de *Clarisse aux mille visages* que Jacques lui a offert à Noël. Ils en avaient beaucoup parlé. Il ouvre le livre au hasard : «J'ai montré les mille visages de Clarisse dans mon premier roman. Je cherche à présent le seul de ses visages que je ne peux pas connaître.»

Il tente de retrouver les chemins parcourus plusieurs mois auparavant au cours de sa lecture. Il se rappelle les noms de différents personnages; des actions, des lieux surgissent de nulle part avec des parfums très spécifiques.

— Clarisse, murmure-t-il les yeux dans le vide. Tu es là. Tu ne m'as jamais quitté. Les plus anciens de mes souvenirs regorgent de ta magie. Tu offres au monde tes cheveux au vent et les yeux de ta beauté qui traversent les êtres de part en part.

Serge semble très ému. Il ne prononce pas souvent de telles phrases et paraît étonné lui-même. Son ami Jacques le préoccupe. Il se souvient de ces bons moments qu'ils passaient ensemble à partager leur joie et leur tristesse. Un ami. Le personnage de Clarisse les avait irrémédiablement fascinés. Il regarde son livre, en cherche la première page et se lance dans la lecture.

L'homme est enfermé dans une pièce depuis près d'une heure : une chambre dans laquelle les effets personnels d'un pensionnaire remplissent les placards, décorent les murs et embarrassent une table et un buffet démodés. Personne n'est venu le voir malgré ses protestations. Les couloirs se sont vidés de bruits. La chaleur a baissé au fil des heures. Il a surveillé, l'oreille collée au mur, les allées et venues et maintenant il regarde sa montre avant de sortir un jeu de clés. Le premier passe fonctionne. La porte s'ouvre. Il sort la tête rapidement puis s'engage dans le couloir avec un air naturel et décontracté. Une sortie de secours attire son attention. Il l'atteint sans encombre, pousse la porte et se retrouve dans un espace qui donne accès à un escalier en métal et à une autre porte qui ouvre sur l'extérieur.

Un infirmier surgit dans son dos. Il continue à marcher. Ses traits ne trahissent aucune appréhension quand l'infirmier parvient à sa hauteur, le regarde et le reconnaît. Le tueur le saisit aussitôt à la gorge et le plaque contre le mur avec une force qu'on ne lui supposerait pas. L'infirmier tente de le frapper, sans résultat. Le tueur l'écarte légèrement du mur puis l'y renvoie violemment, y faisant cogner sa tête et lui faisant perdre connaissance. Il lui assène un autre coup alors que l'infirmier est allongé sur le sol, après quoi ce dernier ne bouge plus du tout. Du sang coule de son crâne.

L'homme remet de l'ordre dans ses vêtements. Il sort de l'édifice et se dirige tranquillement vers le parking où il monte dans la voiture qu'il a dérobée. Il quitte le centre hospitalier et fait le trajet qui l'y a conduit en sens inverse. Parvenu à proximité de la maison de Lamontagne, il passe devant la propriété et va garer le véhicule trois rues plus loin. L'animation qu'il a pu observer l'incite à la discrétion. Il franchit à nouveau le portail d'entrée, mais se dissimule aussitôt derrière les arbres et les buissons qui ceinturent le parc.

Trente minutes plus tard, il a repéré les membres du personnel. Le jardinier est parti dans une camionnette avec son assistant, les deux bonnes font les fenêtres avant, le chauffeur est absent. Il parvient sur la terrasse, à l'arrière, et la parcourt en longeant les murs pour observer l'intérieur de la maison quand c'est possible. La fontaine se trouve sur sa gauche quand il la dépasse. La porte-fenêtre franchie par le maître des lieux un peu plus tôt dans la journée est entrebâillée. Ses persiennes sont ouvertes.

Lamontagne est allongé sur un canapé. L'homme voit le dessus de sa chevelure et, par-delà, le haut d'un livre. Il s'approche de la porte et attend. L'autre se lève tout à coup et se retrouve au milieu de la pièce, le regard fixe, planté dans ce livre qu'il tient à deux mains. Ses lèvres bougent en silence. Il ferme les yeux, puis :

— Que s'est-il passé? Dites-moi ce qui est arrivé. Vous le savez. Pourquoi me soumettre à cette torture? Je ne tiendrai plus très longtemps. Vous ne pourrez pas supporter cette situation, vous non plus. Il faut vous soulager. L'esprit a des limites que l'on ne peut pas repousser à l'infini. Quand on parvient au bout, c'est terminé. La barrière vous tombe sur la tête et vous sombrez dans la folie. Parlez. Je sais que vous êtes là. Je sais tout. Parlez.

Le tueur à gages demeure dans la même position pendant de longues minutes silencieuses, les yeux fermés, concentré. Quand Lamontagne se décide à s'allonger à nouveau, il tire de sa veste un pistolet automatique dont la crosse est embellie de deux plaques de nacre. Il y installe un réducteur de son. Il jette des regards autour de lui et se met lentement en position de tir. Ses avant-bras se soulèvent. Il tient sa cible en joue, immobile, quand une porte s'ouvre à la volée. Le chauffeur entre dans le salon en manifestant une nervosité excessive. Il range son arme sans émotion.

— Monsieur! On a volé une voiture! Elle était là ce matin et à présent elle n'y est plus. Quelqu'un l'a volée!

Lamontagne tente de calmer son chauffeur. Il le fait asseoir et lui sert un verre de whisky. Mais le chauffeur a une conscience professionnelle torturante. Un quart d'heure se passe avant qu'il ne retrouve sa bonne humeur, que Serge ne trinque avec lui et que le tueur n'ait disparu.

La route de campagne n'est pas large. Elle serpente entre des collines parsemées de petits bois et de champs cultivés. Les maisons sont isolées ou regroupées dans des villages. Le soleil se lève pour commencer un jour plein de beau temps. Serge a croisé peu de véhicules. Deux voitures, autant de tracteurs et une moissonneuse-batteuse. Au détour d'un virage, un amas d'arbres donne l'impression que l'on s'approche d'une forêt. En fait, il n'y a pas d'autres arbres que ceux aperçus de la route. Il engage sa voiture dans un chemin qui pénètre ce gros bosquet.

Les arbres – des chênes, quelques bouleaux, sapins et marronniers – entourent une charmante maison de campagne. Serge a appelé la veille pour prévenir de son arrivée. Il pense à Marguerite et au papier bleu sur lequel il avait noté le numéro de l'agent immobilier. La vieille bonne pourrait être sa mère. Cette idée l'émeut. Il sort avec sa valise à la main. Les clés se trouvent sous un pot de fleurs, de délicates roses anciennes qui encadrent la porte en une arche fleurie et embaumante.

Il va chercher ses provisions dans le coffre de la voiture et dépose les deux cartons dans la cuisine. La maison est exposée au sud et comporte un étage tout entier occupé par une chambre et un cabinet de toilette. Au rez-de-chaussée, une grande pièce sert de salon et de salle à manger. Une petite chambre et la cuisine dans laquelle Serge continue à ranger de la nourriture complètent l'habitation. Les boiseries – plancher, poutres – et les fenêtres sont omniprésentes. Il aime venir ici prendre une ou deux journées de solitude et de calme.

Il entre dans le salon et va décrocher la reproduction d'un tableau impressionniste qui déverse ses fleurs et son soleil dans la pièce. Serge veut le remplacer par une toile dont il vient de faire l'acquisition. Il ôte le papier kraft protégeant l'œuvre et la suspend au mur. Il va ensuite s'asseoir dans l'un des fauteuils en rotin dont les coussins sont habillés d'un tissu blanc. Le tableau captive son attention et il se lance dans une longue course contemplative.

Curieusement il voit de la neige. Elle tombe en gros flocons dispersés qui ont des chutes très différentes les uns des autres même si la grande majorité descend à une vitesse uniforme. Serge constate que les trajets aux lignes ondulantes qu'il suit du regard tourbillonnent parfois vers sa droite et parfois vers sa gauche, sans qu'il puisse trouver une explication à ce phénomène. Il admire également les flocons dont la descente se voit interrompue soudainement et qui déambulent, comme suspendus dans le vide, à cette hauteur où tout devient possible. Parmi ces derniers, on en voit même qui remontent vers le ciel.

Son visage se crispe tout à coup quand l'un de ces petits bouts d'eau réfrigérée passe en trombe, dans une verticale abrupte, pour aller sans détour s'effondrer sur le sol . Cette vision le pousse à prendre du recul.

Il s'aperçoit soudain que ces flocons, aux trajectoires multiples, isolées, aux soubresauts et aux abattements sans remède, forment un ensemble d'une homogénéité indiscutable, s'abîment dans un ballet chatoyant et chaotique dont la danse, parfaite, dessine l'image d'un tout.

Et puis, au fond, se dit Serge, leurs différences importent peu. Ils iront tous rejoindre la terre au bout de leur course.

Lamontagne n'a pas remarqué la voiture qui le suivait. Son conducteur s'est arrêté sur un chemin de terre situé à moins d'un kilomètre de la maison de campagne. Il a saisi une carte militaire sur laquelle des trajets ont été tracés au stylo rouge. Il range sa carte dans la boîte à gants et sort de son véhicule.

L'homme suit le chemin de terre qui sépare deux champs et s'approche de ce gros bosquet où Lamontagne a disparu. Il parvient devant les arbres et avance sans hésitation pour se dissimuler derrière le tronc d'un vieux chêne. Il progresse ensuite sur de petites distances. Quand il a repéré sa cible, il va se poster sans encombre derrière une fenêtre, dans son dos.

Le bruit des moteurs des machines agricoles ronfle au loin sans rythme. Des moineaux, une pie, deux corbeaux passent. Des rayons de lumière s'abattent comme des lances au travers des feuillages. Un calme impressionnant plane, tranquille, dans les airs. Il voit Lamontagne assis dans un fauteuil en rotin et, d'après la position de sa tête, il imagine qu'il est en train de contempler le tableau suspendu en face de lui.

Le tueur observe son environnement avec attention. Il voit une moissonneuse-batteuse à deux cents mètres de lui qui s'approche. Quand ses pétarades parviennent à proximité, il en profite pour sortir son Beretta, y installer son réducteur de son et en ôter le cran de sûreté. La moissonneuse-batteuse opère un demi-tour, vingt mètres plus loin, au-delà du chemin sur lequel il a garé sa voiture, et repart en sens inverse.

Soudain, un étrange phénomène se produit. L'autre se trouve toujours immobile, à une dizaine de mètres. La vitre derrière laquelle, embusqué, l'homme considère la scène perd sa transparence. Elle s'opacifie légèrement, devient miroir et son propre visage apparaît. Peu de détails sont visibles : un contour général, des cheveux, le haut du cou. Entre Lamontagne et lui, ce reflet dont on ne peut même pas deviner s'il représente l'avant ou l'arrière du crâne vient s'interposer. Et une ligne directe, une équivalence trouble, une symétrie sans logique éclate. À qui appartient ce reflet? Il s'est superposé parfaitement au crâne de Lamontagne au moment où il se sentait prêt à agir. Sa propre proie vient de se jeter sur lui pour emporter son image. Il tente de scruter la fenêtre pour se dégager de ce sale sentiment qui est en train de s'emparer de sa tranquillité. Il baisse la tête et range son arme.

Il rejoint le chemin alors que la moissonneuse-batteuse parvient au bout du champ et vient, elle aussi, s'engager sur le chemin. Elle avance vers la route et l'homme entend des coups de klaxon. Sa voiture est garée sur le côté, mais l'énorme machine agricole ne peut pas passer. Il accélère le pas. Les coups de klaxon, irritants et répétés, ne s'arrêtent plus. Il fronce les sourcils, regarde autour de lui et parvient finalement au niveau de ce cultivateur qui crie.

— Dégagez-moi votre voiture… j'ai du travail, moi!

Il tourne le visage pour ne pas être vu, passe en courant et se jette dans sa voiture qui démarre au quart de tour.

La pièce de sa maison de campagne ne le satisfait plus. Serge souhaite admirer son tableau dans la nature. Tout sera chamboulé, d'autres points de vue vont lui apparaître; en pleine lumière, les vérités surgissent comme des mirages en plein désert. Le meilleur endroit serait cet étang paisible où il a souvent baladé ses pensées. Il se rend dans la cuisine pour y déboucher une bouteille de vin rouge. Le premier verre lui sert à se désaltérer, le second à en apprécier les saveurs, le troisième à boire. Au quatrième, il va décrocher le tableau et l'emballe dans du papier. L'œuvre aveuglée, il reprend ses esprits, va se changer, passe un jean, des baskets, un t-shirt, une veste légère. Il a besoin d'un sac pour transporter sa bouteille de vin et un verre.

Quand il sort, il est un peu plus de midi. Il va pouvoir en profiter, de la lumière. L'étang est proche et Serge s'engage sur le chemin qui va le conduire à la route. Les paysages domestiqués de cette campagne apaisent. Un ordre a fait fuir la folie inhérente à toutes les natures sauvages abandonnées à leur soif de mort. Il avance d'un bon pas. Là-bas, il le sait, il sera tranquille et son tableau resplendira.

Sa voiture file toute seule. Il ne cherche pas à la retenir. Il n'avait pas éprouvé ce sentiment intense de n'être plus personne depuis longtemps. Les champs, les arbres, l'asphalte, rien ne franchit les frontières de sa conscience. Quelle peur monstrueuse est capable de briser les tempéraments les mieux trempés? Un village apparaît. Il ralentit, s'arrête sur la place, se dirige vers le café où l'on peut manger des pizzas décongelées. Il veut une bière avec la «quatre saisons». Tourné vers le fond de la salle, il sort sa carte et rappelle les informations qu'il préserve dans sa mémoire. Il range sa carte quand sa bière et sa pizza arrivent ensemble.

Il boit, il mange, il réfléchit. Son métier est difficile. Il doit regarder les choses en face, le choix s'offre toujours aux plus démunis, lui, il ne l'est pas. Après avoir bu son café, il paie et sort de l'établissement. Il n'aurait jamais dû y entrer, se dit-il. Sans importance. Il reprend sa voiture.

Il choisit de stationner sur un chemin qui se situe entre la maison et cet étang où, chaque fois, l'autre se rend peu après son arrivée. Les récoltes sont loin d'être terminées dans ce secteur. De grands plants de maïs longent la route. L'homme doit interrompre ses réflexions. Il voit sa proie approcher à bonne allure, un cadre sous le bras. Il sort son arme et profite du maïs pour se dissimuler.

Trente secondes plus tard, Lamontagne passe dans le prolongement du chemin où il l'attend, les bras levés à l'horizontale. Il tire une seule balle. Il a choisi, contre toute logique, de viser la tête. Lamontagne s'écroule.

— Monsieur, monsieur, vous allez bien?

Une voix de femme se fait entendre. Il ne l'avait pas vue venir. Elle devait se trouver hors de son champ de vision. Il se jette dans sa voiture et démarre. Il voit Lamontagne qui bouge et la femme qui s'est penchée sur lui, dont le visage va sans doute se relever dans quelques secondes pour lui demander d'arrêter.

Serge reprend ses esprits et voit une femme. Elle lui parle. Il passe la main dans ses cheveux. Une large trace de sang macule sa paume. Il se lève précipitamment, récupère son tableau.

— Partez, hurle-t-il à cette femme qui le questionne.

Quand il voit la voiture avancer sur le chemin, en face, il entraîne aussitôt la femme par-delà un fossé, dans les épis de maïs. La voiture ne freine pas et s'engage sur la route.

Serge sort du champ et se met à courir dans la direction opposée, vers l'é-tang. Il passe devant une maison sur le devant de laquelle a été construite une belle véranda. Une famille est attablée. Il hésite un instant et continue à courir comme un dératé.

Il parvient dans un virage qui monte une côte. Quand il en atteint le sommet, ses poumons sont en feu. L'étang, en bas, lui apparaît. Il trébuche et tombe. Sa cheville lui lance des messages de douleur. Il tente de reprendre son souffle. Il a terriblement soif et vide le restant de sa bouteille de vin. Il ne peut plus marcher. Le bord de la route, un champ, l'eau; une image de paix le traverse. Dans l'eau de l'étang, des nuages circulent. Il reconnaît sa bouteille de vin dans l'un d'eux.

Une voiture surgit. Serge veut se lever pour l'arrêter. L'homme qui la conduit est accroché à son volant. Ses traits sont tirés, ses yeux, exorbités. On pourrait croire qu'il rit, mais seule une crispation insoutenable a déformé son visage. Son sourire rend hommage aux plus terribles démesures de la folie. Il fixe Serge. Les secondes se mettent à s'étirer.

Serge reconnaît le véhicule. Il ne cherche pas à fuir. Il se dresse dans l'un de ces moments éternels qui nous rappellent des vies entières. Et dans la précipitation il retrouve une sérénité extatique car il reconnaît à présent le chauffeur.

Un miroir ne serait pas plus parlant. Serge voit son double lui foncer dessus. De quel délire a bondi cette image féroce? De quel univers torturé émergent les cauchemars les mieux affûtés? La vérité toute nue a de ces beautés repoussantes qui appellent à la solitude définitive. Serge a tout juste le temps de tendre les bras. Il rejoint les domaines inexplorés où la vie mène son jeu truqué. Des dimensions nouvelles saccagent l'arithmétique et la géométrie. Des aiguilles et des poids s'envolent, tous les détours reprennent leur légitimité. Les illusions de la ligne droite partent en éclats. Être là ou de l'autre côté ne changera jamais rien. Les voyages seuls respirent la lumière, la mort seule la renaissance.

Le pays des rêves

Une pluie fine trempe les trottoirs. Sous le couvert d'un bonnet en plastique d'un autre âge, une dame de cinquante-cinq ans protège sa mise en plis. Sa démarche essoufflée trahit un manque d'exercice. Elle n'a jamais dû être très sportive. Les grandes propriétés bourgeoises qu'elle longe n'attirent pas son attention. Son parcours, de quelques centaines de mètres, elle l'accomplit en ligne droite, côtoyant les murs et les palissades à une distance qu'elle doit juger raisonnable.

Le petit sac de papier qu'elle porte contient un sachet de levure. C'est après avoir constaté devant sa collègue que le livreur du supermarché avait oublié d'en apporter dans sa dernière commande qu'elle s'est mise en route. L'épicerie est située au coin de la rue et elle avait envie de se promener. Elle sort de sa poche un paquet de cigarettes brunes, des gauloises sans filtre. Elle doit s'arrêter pour tirer un briquet de sa poche et allumer la cigarette. Il n'y a pas de vent.

Elle parvient devant les grilles de la propriété où elle travaille, ouvre une porte latérale. En longeant un parterre de fleurs, elle termine sa cigarette et envoie son mégot voler dans les roses. Sur son visage, on peut observer la naissance d'un sourire.

La porte de service donne directement dans les cuisines. Elle met ses chaussures d'intérieur et enlève son bonnet. Elle se dirige vers un placard. Sur un rayonnage, derrière une rangée de farines, elle tend le bras, attrape le sachet de levure qu'elle a casé là une heure plus tôt et va le déposer dans le vide-ordures. Elle place alors le nouveau sachet, qui n'est pas distribué par le supermarché, en évidence sur le rayonnage. «Voilà une journée qui commence bien», dit-elle à voix haute.

Une douce sonnerie se fait entendre. Sur un panneau suspendu au mur, et qui reproduit le plan de la maison, du moins des pièces dans lesquelles se trouvent les petites sonnettes à domestiques, la lumière rouge, celle du salon du deuxième étage, vient de s'allumer. La bonne souffle de dépit. Elle est seule dans la cuisine. Il va falloir qu'elle se coltine deux étages. C'est toujours sur elle que ça tombe. Elle sourit tout de même à l'idée de voir dans quel état se trouve cette femme arrivée depuis peu et pour qui la maison semble se réduire à quelques pièces. On ne peut pas dire qu'elle soit trop enquiquinante, celle-là.

Pour ses dernières années avant la retraite, la bonne est satisfaite de ce cadeau du Seigneur, cela se lit sur son visage.

Elle se sert un café et grignote deux biscuits au chocolat. Elle prend son temps et les laisse s'imbiber d'une quantité de café très précise avant de les porter à sa bouche. Alors elle reste immobile pendant quelques secondes, les savourant avec délectation. La sonnerie se fait entendre de nouveau. «Quand faut y aller», lance la bonne avec un air de travailleur de chantier. Et elle se met en route. L'escalier est large, ses marches sont peu élevées et une rampe le longe, mais elle souffle comme si elle escaladait l'Himalaya. Se rappelant qu'elle est seule, et que ce n'est pas l'autre là-haut qui va s'intéresser à elle, elle arrête de souffler. Parvenue devant la porte du salon, elle inspecte sa tenue et se redresse pour faire une entrée stylée.

La patronne se retourne quand Marguerite frappe à la porte. Elle l'invite à la rejoindre d'une façon neutre. La pièce est impressionnante. Une verrière en fait le tour et un télescope en cuivre se trouve en son centre.

La patronne s'appelle Nina. Elle demande à Marguerite de prévenir le chauffeur car elle veut sortir à midi avec la Bentley. Elle veut aussi emporter un bouquet de quarante-neuf roses multicolores.

Marguerite a gardé un air humble et concentré pendant que sa patronne parlait d'une voix monocorde. Aucun étonnement n'est venu troubler son attitude. Elle demande à quelle heure madame rentrera et s'il faut préparer un repas pour ce soir. Madame baisse le regard vers la gauche, dans le vide, pour réfléchir ou parce qu'elle pense soudain à autre chose. Marguerite se demande toujours si sa patronne pense. Peut-être – les yeux immobiles, les mains et le corps comme paralysés – se laisse-t-elle aller à un profond abandon quand elle se retire en elle-même?

Nina répond que ce n'est pas la peine et qu'elle dînera sans doute en ville.

La bonne se retire en fermant la porte avec précaution. Dehors, la pluie a cessé. Les nuages se dissipent par endroits pour laisser apparaître des trous et des bandes effilochées de ciel bleu. Nina va se rasseoir près du côté sud de la verrière, dans le fauteuil qu'elle a quitté cinq minutes plus tôt. Elle feuillette un magazine féminin en s'attardant sur des photos de robes de soirée assez sexy. Puis elle manipule une télécommande. Les battants d'un meuble sophistiqué s'ouvrent d'eux-mêmes et le téléviseur s'allume. Elle vérifie la chaîne et l'horaire de l'émission signalée à la fin de son magazine. Il s'agit de la retransmission d'une importante vente de tableaux qui s'est tenue quelques mois auparavant. Les images défilent pendant qu'elle prend le verre posé sur la tablette située près de son fauteuil et va le remplir à demi de whisky et à demi d'eau gazeuse sucrée et aromatisée. Elle regarde l'heure, se rassoit. Sur un petit miroir, elle dispose deux tas de cocaïne et les prise avec un léger tremblement.

Une grande immobilité la saisit ensuite. Elle demeure rivée à l'écran de télévision, son geste le plus remarquable consistant à boire de temps en temps une gorgée de whisky. Mais en y regardant de plus près, on s'aperçoit que son regard, d'habitude morne ou glacé, selon les opinions, s'est embrasé d'une vie infernale. Une intensité effrayante est apparue dans ses yeux et l'on est en droit de se demander si les spectacles intérieurs qui émeuvent Nina la charment ou la terrorisent.

On peut voir, à quelques kilomètres de la ville, un étang. L'endroit est calme, tranquille, on est à la campagne. Des pêcheurs viennent y taquiner la carpe. Des personnes s'y promènent, des parents avec leurs enfants le dimanche, quelques pauvres qui n'ont rien à faire, des joggers cherchant de l'air en principe moins pollué qu'ailleurs. Un chemin part de cet endroit charmant. Il rejoint une route nationale. Plus loin on rencontre quelques maisons et de rares fermes au milieu des champs. Au détour d'un virage, un amas d'arbres donne l'impression que l'on s'approche d'une forêt. En réalité, il n'y a pas d'autres arbres que ceux aperçus de la route. Personne ne songe à se rendre dans ce gros bosquet. On y trouve cependant une cabane faite de planches pourries et de tôles. Un homme a élu domicile dans ce lieu.

Il est difficile de donner un âge à cet individu excentrique. C'est un clochard qui s'est trouvé un domicile de fortune. De taille moyenne, les cheveux d'une saleté comparable à celle de son corps, le tout exhalant des odeurs répugnantes, il est couvert d'habits en loques. Dans sa cabane, on peut observer une parodie pathétique d'équipement ménager. Et si tous les objets réunis sous ce toit percé sont des ordures, leur emplacement trahit un souci de recréer l'environnement commun à toutes les personnes qui regardent la télévision. Des sacs en grand nombre sont entassés dans un coin, mêlés à des ustensiles difficilement identifiables. Des cagettes destinées à allumer le poêle rouillé qui était déjà là avant son arrivée sont réunies au centre du refuge. Et un matelas fait de hardes, de journaux et de paille donne sans doute à l'homme un sentiment de confort incomparable.

On pourrait s'attendre à découvrir une incarnation terrible de la détresse humaine dans cet antre de la saleté et de la misère la plus achevée. Des sanglots, des grelottements sans fin les jours de pluie ou de neige, des fièvres dont on ne sait si elles seront mortelles, des pleurs d'avoir été exclu du monde des hommes qui ont un travail et qui font des courses dans les centres commerciaux. L'homme est assis, comme il l'est la majeure partie du temps, et il contemple un cadre de bois auquel a été fixé ce que l'on est en droit d'appeler une peinture. Ce n'est pas un véritable chef-d'œuvre, mais la scène représentée a été exécutée avec suffisamment de métier pour que l'on se demande si la toile n'est pas d'un maître, ou plutôt si ce que l'on ne peut juger en cet endroit que comme étant une reproduction n'est pas dû à un maître inconnu.

Le plus étonnant est la fascination du clochard pour son cadre de bois. Les idées les plus niaises du romantisme le plus usé vous viennent à l'esprit en observant avec compassion ce contraste entre l'habitant d'un dépotoir et les flammes rougeoyantes de sa passion pour ce qui est un produit du monde des arts. La misère et l'art forment un couple attendrissant, un lieu commun capable de ramollir bon nombre d'esprits dont on aurait cru pourtant qu'ils échappaient à la bêtise.

Quoi de plus beau, de plus touchant, me direz-vous, que de longues envolées lyriques sur ces êtres d'exception qui font fi de toutes les contingences matérielles, de tous les soucis alimentaires et de toutes les conventions sociales pour préserver le royaume béni de leur art? Quoi, il est pauvre, mais c'est normal, c'est un artiste. Ça ne peut pas lui faire de mal, lui qui demeure tout le jour et jusque dans ses songes en contact avec ce qu'il y a de plus beau sur terre. Ah oui, c'est un artiste et s'il est pauvre, eh bien, c'est encore mieux! Il ne manquerait plus qu'il ait accès aux richesses les plus délicates et les plus prisées de ce monde-ci en plus de posséder les plus vulgaires! Artiste, oui; riche, non.

L'homme assis dans la cabane a dans les yeux autant d'intelligence qu'une vache. Non, ce n'est pas un artiste. Il n'y a donc pas moyen de penser qu'il a la chance de vivre dans l'autre monde. Il regarde son tableau, environné d'insectes. Il ne dit rien et reste de marbre. Le sentiment qui s'exprime avec le plus d'évidence sur son visage est l'abrutissement. Il est difficile d'avoir pitié d'un abruti.

Dans la belle maison de Nina, la plus jeune des domestiques s'active. Elle fait la chambre de sa patronne. Le lit, la poussière, le petit-déjeuner et les quelques babioles qui traînent ne lui demandent que quelques instants d'attention. Elle accomplit son travail consciencieusement et le plus vite possible. Ensuite, au lieu de quitter la pièce, elle se dirige vers le secrétaire plein de petits tiroirs sur lequel est posé un cahier. Elle s'assoit. Ses mains tremblent légèrement. Le cahier est ouvert. La date du jour précédent est inscrite en haut de la grande page de gauche et celle du jour même sur celle de droite.

La bonne tourne la tête précipitamment comme si elle avait entendu un bruit suspect. Elle revient au cahier et sort de sa poche un dictionnaire franco-hollandais. Son français s'est beaucoup amélioré depuis quelques mois, mais elle n'aime pas les traductions bancales. C'est une perfectionniste.

L'écriture est fine, condensée et lisible. L'encre est noire. Voici le texte sur lequel la bonne exerce en français son penchant pour le voyeurisme.

«Vendredi, le 28 août 1998

Il m'est difficile de dormir en ce moment. Je me demande si ce n'est pas ma petite coco qui me joue des tours. J'ai tellement d'argent à présent qu'il faut que je me trouve une bonne raison pour ne pas en prendre sans arrêt. Je ne suis pas tranquille. Je ne me reconnais plus. J'ai des crises de paranoïa un peu trop souvent. Mes domestiques sont très discrets et payés pour se taire, mais j'ai parfois l'impression qu'ils en savent plus qu'il n'y paraît et que mon arrivée ici stimule leur imagination. Il faut que je reste vigilante, que je me contrôle.

Les rêves que je fais sont très étranges. On dirait qu'ils sont liés les uns aux autres et qu'ils sont les épisodes dispersés d'une seule grande histoire. Je ne parviens pas encore à en comprendre les tenants et les aboutissants. Il doit y avoir une relation avec mon enfance ou avec ce qui vient de m'arriver. Les deux sans doute. Les personnages de mes rêves ont une très grande autonomie. Je ne peux absolument pas les rapprocher des personnes que je connais ou que j'ai rencontrées. Ils ont pourtant des personnalités très fortes. Ils agissent d'eux-mêmes et ne font pas toujours les mêmes actions. Ils m'aident à ne pas me sentir trop seule. Certains reparaissent, et j'ai toujours du plaisir à les voir à nouveau dans ce que j'appelle l'Histoire car, justement, ils me permettent de tisser des liens, et c'est peut-être leur retour même qui m'a incitée à penser à l'Histoire.

En ce moment, mon personnage préféré est une femme. Elle...»

La jeune bonne interrompt sa lecture. Certains passages lui ont posé problème et elle préfère lire à nouveau le texte en éclaircissant ces difficultés. Les expressions et les mots suivants ont retenu son attention : «jouer des tours», «payés pour se taire», «que je me contrôle», «dispersés», «les tenants et les aboutissants», «les deux sans doute» et, enfin, «c'est peut-être leur retour même qui m'a incitée à penser à l'Histoire ».

Elle est satisfaite de ses progrès dans la langue de Bove. Au début, le travail de déchiffrement retenait toute son attention, mais à présent elle semble s'ouvrir à des questions plus fines et même, à certains signes comme des haussements de sourcils, sa bouche qui s'entrouvre ou ses paupières qui se relèvent, il semblerait qu'elle établisse des relations entre ce qu'elle lit et sa vie à elle, même si l'on ne peut être assuré qu'elle évite avec habileté les pièges de l'interprétation. Certains prétendent que sans effort vous ne retirez jamais l'essentiel d'un récit parce qu'il vous demeure étranger. La bonne ne paraît pas se poser ce genre de questions. Elle reprend sa lecture.

«Elle est déjà venue à plusieurs reprises il y a longtemps. J'en suis persuadée. À cette époque je n'y ai malheureusement pas prêté attention. Elle est jeune, c'est une artiste. Elle fait des choses qui m'étonnent et qui me plaisent. Cette nuit j'ai suivi ses allées et venues avec difficulté. Elle se promenait dans le centre d'une grande ville. Elle avait des rendez-vous dans des cafés luxueux et dans des bouges, dans des salons et des théâtres. À chacune de ces étapes j'ai eu le sentiment très net qu'elle changeait de personnalité. C'est idiot mais elle demeurait la même tout en essayant à chaque rencontre de devenir une autre personne. C'était fascinant de voir ses métamorphoses. J'espère qu'elle reviendra me voir demain.»

Dans sa cabane branlante, l'homme n'a pas bougé. Il s'est réveillé en sueur aux aurores. Peut-être avait-il fait un mauvais rêve? Il s'est redressé, a passé un chiffon crasseux sur son visage et s'est plongé dans la contemplation de son tableau. Il est onze heures du matin, cela fait donc près de six heures que dans son immobilité il défie les mouches et autres moustiques de provoquer en lui une réaction quelconque.

Soudain, un séisme bouleverse la faune insectoïde de son environnement : l'homme quitte le tableau des yeux. De l'univers de sa contemplation à celui de sa misère, la distance est si grande qu'il défaille. Un vertige tel que peuvent en provoquer les séances d'hypnose le renverse sur sa paillasse. Ses yeux sont braqués vers le toit troué de son taudis. Sa respiration ralentit. Il se redresse tout à coup comme s'il venait d'apercevoir la police à ses trousses. Il se laisse aller en avant, tombe sur le ventre, rampe de quelques dizaines de centimètres et tire d'un baluchon en peau de bête élimée une bouteille en plastique.

L'alcool semble faire partie des rares plaisirs encore offerts à cette figure emblématique et écœurante de la misère humaine. Ce qui frappe dans cette face dévastée par les souffrances morales est son impassibilité. Il porte le goulot de sa bouteille jusqu'à sa bouche avec avidité et avale goulûment un demi-litre de vin râpeux qui va lui dévaster les boyaux. Aucune joie n'apparaît sur ce corps déchu. Le vin répond à un appel de l'enfer. C'est une nécessité absolue, à l'image de celle qui précipite les enfants vers leur mère. Le soulagement est celui de la fuite, de l'abandon total à un être de prédilection. Il boit comme on se tue, pour disparaître à soi-même.

Une longue période d'inaction suit l'absorption du vin rouge. Le clochard réagit enfin pour se gratter à divers endroits. Il se lève comme une grue peut se lever, puis ajoute une pelure sur celles qui reposent déjà sur ses épaules. Malgré la chaleur, il se couvre d'une écharpe, à croire que ses vêtements vont le protéger du soleil. Vacillant, il prend son tableau et déplace la planche qui sert de porte à son habitat. Une fois toutes ces opérations effectuées, il aspire une grande bouffée de l'air dégradé qui l'environne et se lance à l'extérieur.

N'étaient son écharpe et toutes les breloques dissimulant le clochard, on pourrait se demander s'il n'éprouve pas un sentiment de bien-être. Il va dans une direction, ce qui semble signifier qu'il a un but vers lequel tendre. C'est un bon signe, les gens qui poursuivent des objectifs sont en général mieux portants que ceux qui ne le font pas. Va-t-il aller mendier ou commettre quelques larcins? Peut-être qu'un coin tranquille où admirer sa toile le contenterait? Le sait-il lui-même? Il se laisse glisser sur ce peu de réalité qu'il dévale en attendant de rencontrer l'obstacle qui retiendra la chute dont il n'a plus conscience.

Il s'est lancé dans une marche étrangement scandée par les balancements de ses bras et de sa tête. Il est en route depuis une éternité quand un événement hors du commun se produit tout à coup. Une pierre vole dans les airs. Elle est en bout de course, à un centimètre du crâne puant du clochard. Elle va le percuter dans moins d'une seconde. Il l'ignore, bien sûr, et le fait qu'elle survienne en cet instant précis sans qu'il puisse la voir ne change rien. Eût-elle été lancée par une personne se trouvant face à lui, il n'est pas sûr qu'il aurait réagi d'une autre façon. Cette pierre est ronde. Son diamètre approximatif est de quatre centimètres, ce qui signifie qu'elle ne causera pas une blessure mortelle à son destinataire, mais qu'elle pourra tout de même lui occasionner une drôle de surprise et un mal de tête persistant.

Si l'on songe que l'homme est mauvais, on ne s'étonnera pas de ce que le lanceur dissimulé derrière son buisson n'ait pas réalisé que le clochard n'est pas affilié à la Sécurité sociale. On supposera que quelqu'un, un pharmacien, un médecin, une infirmière – qui aiment à aider leur prochain –, saura prendre sur lui et concéder gratuitement, en échange d'un sourire destiné à réconcilier les pauvres avec la société, des soins tels qu'un lavage de plaie et la pose d'un sparadrap désinfectant. Ne leur en demandons pas trop; passé ces excès de générosité, il faudrait trouver quelque chose comme un saint pour chercher à en faire plus. On n'en voit plus sur les écrans de télévision, on a donc peu de chance de croiser dans la rue un morveux qui aurait du goût pour la béatification, fût-elle *ante-mortem.*

La pierre vient percuter la tête du clochard. Le choc n'est pas si violent, mais provoque en lui une réaction absolument terrifiante. Il se recroqueville sur lui-même et porte les mains entre ses deux oreilles, à l'endroit du choc. Et, comme s'il venait de recevoir un terrible coup de matraque, il tombe sur le sol dans des secousses si démesurément convulsives que la scène en devient ridicule. Plus loin, des rires enfantins éclatent.

Le chauffeur de Nina se trouve devant l'entrée principale de la maison. Il descend de la voiture et va demander à Marguerite si la patronne est dans les parages. Marguerite n'est pas dans son assiette. Elle a terminé un paquet de sept cents grammes de biscuits au chocolat. Son foie est plus engorgé que le périphérique parisien aux heures de pointe. Elle se contente de regarder le chauffeur et de hausser les épaules pour lui faire comprendre que c'est pas marqué voyante et que la patronne, il le sait bien, des fois elle est ponctuelle et des fois on l'attend pendant des heures.

Il ne se laisse pas démonter, annonce que l'heure de l'apéritif a sonné, et va se servir un gin tonic dans la cuisine. Il doit se l'enfiler cul sec car Nina surgit dans l'escalier en réclamant le bouquet de roses qu'elle souhaite emporter, Dieu sait pourquoi, avec elle. Les roses sont dans la Bentley. Le chauffeur ouvre et ferme les portes de la maison et du véhicule. Sa patronne remonte la vitre teintée qui les sépare pour ne pas être dérangée. Il démarre sans se formaliser pour si peu.

Il est midi. Le soleil éclaire le paysage de la ville. Nina se tient à demi allongée. Elle reprend ses activités favorites. De la cocaïne, un whisky bien tassé et la télévision allumée : elle a enregistré l'émission de ce matin et la regarde à nouveau. Est-ce la monotonie du rituel de la vente qui captive son cerveau fatigué? Reconnaît-elle l'un de ses amis dans la foule des acheteurs ou des équipes chargées des ventes? Les maisons semblent se regrouper peu à peu, comme des troupeaux réunis par un berger, alors qu'ils traversent les banlieues encerclant la ville. Le soleil ajoute une touche de clinquant dont la plupart des demeures en carton-pâte se seraient bien passées. Tout cela a l'air si fragile. Un petit cochon soufflerait dessus qu'elles partiraient toutes dans le ciel pour tomber, plus loin, dans la mer.

Le chauffeur est heureux. Il aime bien sa patronne. Elle est mignonne et il ne désespère pas de se l'envoyer un de ces jours. Les grandes dames ont elles aussi des moments de faiblesse. Il suffit d'attendre en faisant de la musculation pour ne pas les décevoir le moment venu. S'afficher en petite tenue l'été aide souvent les choses. Il fait ce métier depuis quinze ans. Les muscles, le revolver et, tout de même, quelques lectures pour comprendre ce qu'elles racontent et ne pas être pris pour un con, voilà les clés de la réussite.

Il conduit mécaniquement. Il est plongé dans ses pensées. Certains de ses souvenirs récents lui pèsent un peu et il est même allé voir son vieux copain Axel pour lui parler de son nouvel emploi. Deux jours plus tôt, la patronne lui a demandé à froid s'il avait déjà tué un homme. Son attitude – interrogative, suspicieuse, excitée? – n'expliquait pas pourquoi elle lui lançait cette question comme une flèche enduite de curare. Il ne s'était pas dégonflé. S'il mentait, il passerait peut-être à côté d'un bon contrat. Il y avait peu de risques qu'elle le questionne pour le virer ensuite par peur de ses tendances homicides. La froideur de sa patronne, une vraie froideur, une glaciation polaire sans vie, pas un air de bourgeoise choquée, l'avait guidé pour annoncer la couleur.

— Ça vous coûtera entre cinquante et deux cent mille dollars selon la difficulté du travail, que j'évaluerai moi-même.

Hier ils se sont donné rendez-vous. La cible logeait à Barcelone. À onze heures, heure locale, ils se sont retrouvés dans le hall d'un immeuble bourgeois. La patronne connaissait les lieux et elle avait dû engager un détective pour connaître tous les déplacements du type, car personne ne traînait dans le bâtiment et il était seul dans son grand appartement.

Il nous a crié d'entrer de l'intérieur. Il l'a tout de suite reconnue et a voulu l'embrasser, sans résultat. L'atmosphère était doucement tendue, comme après une engueulade de couple. Il n'avait pas peur. C'est l'attitude de Nina qui l'intéressait. Il a fait comme si je n'existais pas, ce qui était aussi bien. Elle a parlé et lui, il était suspendu à ses lèvres d'une façon vraiment dégoûtante, comme un chien. Elle lui dit qu'elle a reçu sa lettre. Il l'interrompt aussitôt, affirme qu'il l'a écrite sans trop y penser, qu'elle ne doit pas faire attention à ça, il est un peu déprimé en ce moment, il voulait la revoir, c'est l'unique raison qui l'a poussé à écrire. Elle lui dit qu'il a voulu la faire chanter et que ce ne sont pas des pratiques amicales. Il a protesté. Elle est restée très calme. Elle a sorti un Berreta et l'a descendu de deux balles dans le cœur. Du bon boulot, sans bavure.

Nous sommes sortis sans nous presser. Nous sommes partis chacun de notre côté. Le soir, on était rentrés. Et ce matin j'ai trouvé une série de photos sous ma porte. C'est moi à Barcelone devant une horloge qui décompte le temps d'ici l'an 2000 et devant le logement du gars. Elle ne voulait pas que je le flingue, elle voulait un pigeon au cas où.

Le chauffeur conduit. Il semble perdu dans ses pensées. Une patronne pareille, ce serait vraiment dommage de ne pas finir par coucher avec.

Les enfants qui ont agressé le clochard rient aux larmes. Il est par terre. Des spasmes d'une douleur beaucoup trop violente pour avoir été causée par le projectile le secouent. Il grogne et se débat avec les lanières de son sac dans lesquelles il est pris comme un animal. Les enfants sont heureux. Ils s'apprêtaient à s'enfuir mais l'un d'eux, leur chef sans doute, les retient. Ils s'approchent avec appréhension. Le déchet qui gît sur le sol mène un combat contre des créatures venues d'ailleurs.

Le chef dit que le clochard a l'air d'un canard et déclenche l'hilarité du groupe qui se met à scander en chœur «clochard : canard, clochard : canard» puis «clochard : connard, clochard : connard, clochard : connard». Ils sont ivres de joie. Ils courent autour de l'homme atterré en chantant leur ronde enfantine.

Ils s'amusent tellement qu'ils ne voient qu'au dernier moment une femme qui vient. Elle paraît amusée de leur jeu. C'est beau, les enfants. Quand ils réalisent la présence d'un adulte, ils disparaissent en un clin d'œil comme des esprits de la forêt. La femme s'aperçoit alors de la présence du clochard. Elle se penche vers lui pour lui parler.

Il ne l'entend pas. Il rampe et se débat comme un aliéné. Elle hésite à aller chercher de l'aide. Sur le sol, le tableau enveloppé de chiffons et de ficelles l'intrigue. Elle tend le bras et, au moment où elle le saisit pour l'inspecter, le clochard se tait et s'immobilise. Sous la touffe hirsute de ses cheveux et au-dessus des poils inégaux et sales de sa barbe, les yeux de l'homme apparaissent tout à coup froids, fixes et exorbités. Une aura animale se dégage de cet être solitaire qui demeure à quatre pattes. On ne sait plus exactement à quoi s'en tenir. Se peut-il vraiment qu'il se soit transformé en une bête féroce à laquelle vous venez de dérober le cadavre d'une proie sauvagement exécutée et dont l'impitoyable cruauté va vous déchirer de ses griffes dans quelques secondes?

Le clochard montre ses dents jaunes en grognant. Elle hésite, se baisse, pose le cadre sur le sol et recule de quelques pas. Il se méfie, s'approche en courbant l'échine. Quand il parvient à proximité de l'objet, il attend et guette le piège. En un éclair, il saisit le cadre avec sa bouche et le ramène doucement à lui en reculant. Il le glisse sous ses haillons et, dans un cri mêlant le sentiment de la victoire, la joie et le soulagement, il détale, toujours à quatre pattes, gêné mais stimulé par son fardeau, vers la route nationale.

La jeune bonne de Nina est heureuse. Tout à l'heure, quand sa patronne est partie, elle a été surprise par le claquement de la porte du salon. Elle s'est levée en craignant de la voir entrer précipitamment, mais elle l'a entendue descendre et appeler le chauffeur une minute plus tard. Installée devant la fenêtre, elle a vu la belle voiture s'éloigner, les grilles s'ouvrir et se refermer. Elle adore cette antiquité. Elle doit y passer un coup d'aspirateur de temps à autre et c'est un de ses grands plaisirs que de s'installer à l'arrière, de s'allonger et de boire un verre en imaginant partir en voyage dans ce carrosse. Elle soupire profondément dans un de ces moments où un souvenir qui aurait pu nous appartenir tente sans résultat de s'incruster dans notre mémoire comme un coquillage exotique.

Elle revient se placer devant le secrétaire. Sa leçon de français va pouvoir se prolonger pendant quelque temps. Se sachant seule, elle se met à inspecter le meuble en en ouvrant les petits tiroirs les uns après les autres. Certains sont fermés et les tiroirs ouverts sont pour la plupart remplis d'objets insignifiants. Aujourd'hui toutefois le contenu de l'un d'eux suscite une très vive curiosité de sa part. Elle y voit quatre plaques d'une matière verdâtre enveloppée avec soin dans des sachets en plastique. Chacune des plaques a la dimension d'un petit livre étiré légèrement en hauteur. L'une d'elles a été entamée. La bonne est hollandaise et elle reconnaît là quatre savonnettes de deux cent cinquante grammes de haschich, probablement marocain. Une pipe en fer-blanc représentant un lapin, avec un petit fourneau muni d'une grille très fine, se trouve sur le devant du tiroir.

La bonne ne paraît pas hésiter une seule seconde : elle ouvre le sac dont la plaque est entamée, y découpe à l'aide de son couteau suisse chauffé à la flamme de son briquet une barre d'un demi-centimètre dans la largeur. Puis elle fait chauffer à son tour l'extrémité de la barre obtenue et égrène à peu près un demi-gramme de haschich dans la pipe en forme de lapin. Elle va ouvrir l'une des fenêtres de la chambre, allume la pipe, la fume en une minute et vingt secondes, en vide la cendre au dehors, essuie l'instrument, va le replacer dans son tiroir, referme ce tiroir et enfin s'assoit.

Il lui faut près d'un quart d'heure avant de pouvoir revenir à son premier projet. Le cahier est toujours ouvert. Elle reprend sa lecture.

«Samedi, le 29 août 1998

Elle est revenue. J'avais tellement peur de ne plus la revoir que j'ai eu beaucoup de difficulté à m'endormir. J'essayais d'imaginer la vie que cette artiste pouvait mener. Elle travaille beaucoup, c'est certain. Même si l'on a un peu de génie, il faut le transformer en œuvre : la transformation demande les plus viles qualités, mais elles demeurent indispensables. Trop de travail peut-être? On finit par valoriser les outils en oubliant de les intégrer à la technique d'ensemble. Je ne sais pas quoi en penser.

Hier elle m'a révélé son rêve le plus cher lors d'une discussion avec un homme de théâtre. Ce qu'elle désire, c'est être toutes les femmes. J'aime ce rêve. Mais il m'a semblé qu'elle ne contrôlait pas tous les rôles qu'elle jouait. Je veux dire par là que les personnages qu'elle choisit de devenir pour un jour ou le temps d'une rencontre semblent parfois s'imposer à elle. Par contre, elle exerce une certaine maîtrise des identités qu'elle revêt comme des costumes, j'en suis sûr. Quelle est la part d'elle-même qui réside dans chacun de ses personnages? Je me demande qui elle est. Quel est le rôle qui correspond à sa propre identité?

Les moments où je sens qu'elle est là sont ceux pendant lesquels elle choisit parmi ses rôles, quand elle se questionne et remet sa nature en question de fond en comble. Encore que l'on puisse penser que la figure qui s'interroge est elle-même un rôle à tenir comme un autre. Ce qui la différencie cependant, c'est qu'elle lui impose de faire des choix, d'accepter ou de refuser de jouer certaines choses, et sans doute ainsi de peaufiner son jeu et de cerner de plus en plus étroitement les caractéristiques des personnages parmi lesquels figurent ceux qu'elle sera à même d'interpréter avec le plus de brio.

C'est un peu ce qui m'arrive avec mon journal. Là seulement je m'interroge, j'essaie de me voir et, parfois, grâce à lui, je crois sentir que j'existe et qui je suis.

Dans mon dernier rêve, l'actrice se promène en ville. Il fait beau, il fait chaud, elle porte une longue robe blanche qui montre juste ce qu'il faut de sa poitrine pour attirer les regards des passants indiscrets. Une veste légère en lin couvre ses épaules et un chapeau à larges bords ondulés complète sa tenue d'été dans un raffinement de style exquis.

Elle n'est pas provocante, plutôt discrète. Cet après-midi elle doit rejoindre un homme de théâtre. Il écrit des pièces. Elle ne les a pas encore lues et sait simplement que leur réputation est bonne. Ils vont se rencontrer pour la première fois et il doit lui apporter ses œuvres. En traversant la rue, elle l'aperçoit des livres à la main. Ils se sourient et passent la porte d'un bar où l'on écoute des groupes de jazz le soir en buvant des cocktails.

Quand elle ôte son chapeau, ses cheveux tombent en cascade sur ses épaules. Elle est heureuse. Elle veut séduire l'homme qui lui tend une cigarette, et elle sent tous les effets de son charme sur lui. Ce qu'elle aimerait par-dessus tout, ce n'est pas seulement avoir une liaison avec lui, mais parvenir à le fasciner, à être pour son esprit une source d'inspiration, et devenir sa muse.

Ce rêve m'a fait une très forte impression. Je me suis rappelé mes séances de pose avec Paolo. Je lui ai servi de modèle pour le tableau que je voulais. C'est moi qui ai tout fait. Il était assez doué, mais je lui ai inspiré son œuvre la plus forte. C'était à Barcelone, l'hiver dernier. Lorsqu'on s'est quittés, il n'a pas supporté que je garde le tableau. Pauvre Paolo. Je l'avais prévenu pourtant.

Quand je pense à l'actrice de mes rêves, je suis sidérée par la pureté de ses intentions. Elle est en train de se livrer tout entière à cet écrivain qui commande deux autres martinis pour goûter avec plus de plaisir encore leur discussion. Il ne paraît pas amoureux fou, mais il est sous le charme. Il la regarde comme pour s'imprégner de tout ce qu'elle peut être. Elle aime cet examen et livre sans arrière-pensées tout ce qu'elle voudrait retrouver dans le rôle de ses rêves. Elle insiste sur des détails et adopte des attitudes riches d'émotions et de débats intérieurs.

Je n'ai jamais su, ou osé, agir avec autant de sincérité. Ce rêve m'a vraiment émue. Qu'aurais-je été si j'avais su être moi-même, en jouant peut-être, mais en jouant mon propre rôle?»

La bonne relève la tête et regarde le mur qui lui fait face. Elle pense avoir compris chacun des mots qu'elle vient de lire et pourtant des zones d'ombre aussi vastes et corrosives que des nuages radioactifs persistent dans son esprit. Elle s'en veut d'avoir trop fumé. Toutefois, malgré tout ce qu'elle a senti – dans un frisson – échapper à la sphère de sa compréhension, le récit lui a procuré un plaisir futile mais intense, comme celui du chat jouant avec son image dans le miroir.

Sur la route nationale, le clochard en fuite galope toujours à quatre pattes. Il passe devant des maisons et quelques fermes isolées. Les voitures sont rares et il ne court pas un très grand risque. Mais le goudron est dur et il halète comme une bête traquée. Pourquoi ne prend-il pas un chemin de traverse pour disparaître sous les blés ou le maïs? Pourquoi ne se jette-t-il pas la tête la première dans un fossé?

Les habitants des environs auraient peut-être une idée sur la question. Alors qu'il passe devant une maison sur le devant de laquelle a été construite une belle véranda, une famille prend son repas et l'on peut surprendre une discussion. Le père s'étonne de cet être qui claudique sur ses deux pieds et ses deux mains. Les enfants rient, la mère fait des remontrances en invoquant de belles idées. Le plus instructif est cette expression qui revient souvent dans leurs échanges. Ils parlent du «fou de l'étang».

Les exclus ont ce rare privilège d'être parfois classés parmi les fous. Cela survient quand leur activité principale ne consiste pas à mendier pour vivre, mais à s'exercer dans des domaines totalement étrangers à ceux qu'affectionne le commun des mortels. Parcourir une route comme une bête sauvage entre dans cette catégorie.

Quand il franchit un virage et parvient en vue de son étang, le clochard s'arrête. Le soleil cogne dur. Il est midi et quarante minutes. Il a terriblement soif et sort sa bouteille en plastique. Il boit le demi-litre de vin qui lui reste cul sec et s'allonge à plat ventre sur le macadam pour reprendre son souffle. Il se tient sur les coudes en travers de la route. Il paraît heureux : devant lui, un peu plus bas, l'eau de l'étang reflète des nuages dans le blanc desquels il reconnaît sa bouteille en plastique.

Sur leur belle véranda, les membres de la famille sont toujours attablés. Ils en sont au dessert. On est samedi et ils apprécient leur yaourt au chocolat. Le père, qui a la meilleure place pour observer ce qui se passe au dehors, pousse une seconde exclamation qui risque de donner à ce repas un caractère exceptionnel et de le faire entrer, avec la journée entière, dans le tas de souvenirs hétéroclites que l'on évoque pour se dire que, tout de même, on vit à une époque étonnante et qu'on a de la chance d'y être venu au monde.

Toute la famille se retourne, la cuillère en arrêt dans les pots, dans les airs ou dans les bouches. Sur la route, une énorme voiture – une limousine? – déboule à une vitesse dépassant les limites autorisées. Ses vitres teintées lui confèrent une part de mystère enivrante. La famille entière retient sa respiration pendant les dix secondes nécessaires à l'engin pour disparaître du champ de vision. Quelle journée.

Le chauffeur regarde la route sans la voir. Il semble toujours plongé en apnée dans ses pensées. Son visage impassible se délasse dans les courants de souvenirs qui le bercent. La nature environnante encourage ces instants paisibles d'absence. La chaleur de l'après-midi ondule au-dessus des champs, sur l'asphalte et dans ces paysages intérieurs baignés d'attentes voluptueuses. Il allume une cigarette.

Nina regarde les champs couverts de lumière. Elle aussi se laisse aller. Elle a éteint la télévision. Sa tête repose sur des coussins. À demi allongée, elle caresse les fauteuils en cuir dans une douce langueur. C'est ça, la vie. Le bouquet de roses repose à ses côtés. Elle le porte à ses narines, ferme les yeux, le délaisse. Son regard vagabonde et reflète des sentiments contradictoires. On pourrait penser à des remords qui obscurcissent son visage ou à une vague inquiétude mêlée d'espoir. Elle sourit enfin, sans doute après avoir retrouvé assez d'arguments pour croire que les lendemains chanteront un hymne à sa gloire.

Les roues du véhicule hurlent soudain. Le pare-chocs se trouve à dix centimètres de la tête du clochard qui repose toujours au milieu de la chaussée, contemplant le paysage. Il n'a rien entendu et, même si le chauffeur sait qu'il va l'écraser et le réduire en bouillie, apportant une note dissonante dans la mélodie de la journée, il demeure insouciant et rêveur. Après la petite pierre des enfants, c'est la voiture des adultes qui s'apprête à démolir l'équilibre bienheureux du clochard. Si aucun miracle ne se produit, il n'en réchappera pas cette fois. Peut-on encore espérer?

Non. Il se fait écrabouiller comme un insecte indésirable. Le chauffeur se précipite, constate que la vie a été expulsée de la purée humaine répandue sur le bitume. Il trouve sur le sol un portefeuille avec des papiers en lambeaux et il remonte en voiture. Nina n'a pas bougé. Elle semble se foutre éperdument de l'incident. Il dit que le clochard s'appelait Serge Lamontagne, qu'il est mort et qu'il vaut mieux aller chercher la police parce que leur voiture est plus repérable que la tour Eiffel. Quand elle a entendu le nom du mort, son visage s'est voilé. Que peut bien lui importer son identité? Elle demande au chauffeur combien il veut pour déclarer qu'il était seul cet après-midi. Quand il lui a répondu, elle remonte la vitre qui les sépare.

Hier encore

Sur la chaussée, une fois que l'on est descendu des trottoirs, des lignes blanches marquent les emplacements que les voitures occuperont si elles désirent s'arrêter. C'est une bonne chose. On a trop tendance à se laisser aller. Les balises sont présentes partout. Même les bateaux, qui parcourent les horizons des flots que l'on croirait sans frontières, savent très bien les chemins qu'ils doivent emprunter. On emprunte et on ne rembourse jamais. C'est ce qu'affirme mon épicier aux clients qui manquent d'argent. Il faut imposer des limites et tenir le chaos à distance.

Je suis entrée dans l'épicerie à six heures du soir. Il me fallait des œufs et du beurre. Ce n'est pas bien compliqué de choisir entre les différentes marques de produits. Cher ou très cher. Je prends ce qu'il y a de mieux. En arrivant à la caisse, impossible de mettre la main sur mon porte-monnaie. Les allées, les murs, le comptoir, tout a un air sale ou, plutôt, défraîchi. Il n'y a qu'à observer le visage fatigué du commerçant pour comprendre. Il devrait prendre des vacances pour imaginer la boutique de ses rêves. Celle qui nécessitera de longs travaux pendant lesquels il continuera tout de même à travailler, qui sera blanche et lumineuse avec de grandes vitres par lesquelles les passants jetteront des regards admiratifs à l'intérieur.

— Bonjour, j'ai oublié mon porte-monnaie. Je peux vous payer demain?

L'épicier n'a pas hésité une seule seconde et a refusé de me faire crédit malgré ma fidélité. Je le comprends. Il aurait pu faire une exception, mais je comprends. La fidélité n'est rien. Une chaîne invisible qui vous torture comme un cauchemar. Vous la traînez avec des bruits métalliques qui entrent dans vos oreilles et crissent. Et puis la fidélité n'est pas une question d'argent. Mon épicier est un homme de grande vertu.

Il a un nez assez long à partir duquel s'épanouissent des touffes de poils hirsutes. Ce nez, en plus, n'est pas droit mais incurvé sur la gauche. Vous ne pouvez vous empêcher de lui prêter de mauvaises intentions quand il vous parle. Il est d'une laideur vertigineuse.

Il a saisi ma motte de beurre et mes œufs pour aller les replacer dans leur rayon. Mais avant de quitter son comptoir, il a monté le son de la radio, qu'il écoute toute la journée. Sans doute souhaitait-il par ce geste trouver la protection que sa conscience venait de lui retirer? Une vieille chanson s'est mise à pousser ses cris hystériques de nostalgie. «Elle paradait comme une majorette en minijupe. Ah! ces bouclettes dans la parade formaient comme une hutte.» Quelles paroles! Non mais, vous avez entendu? Le type qui a écrit ça devait lutter pour l'abaissement du niveau de scolarisation dans le monde.

J'en étais à railler cette chanson intérieurement, heureuse de trouver quelque chose de plus haïssable que mon épicier, quand je fus bouleversée tout à coup par un tremblement intérieur. Le commerçant m'avait tourné le dos et je m'étais résignée à rejoindre la sortie. Là, mon pas décélérant, j'ai eu de la difficulté à progresser. Et je me suis arrêtée. Impossible de ne pas m'accrocher à la mélodie aussi entraînante que bête de ce souvenir qui vient, pénètre en vous et fonce tête baissée vers ces régions sensibles que vous n'abandonnez jamais à autrui sans avoir beaucoup discuté ou bu un verre de trop.

Je suis en vacances avec mes parents au bord de la mer. Un garçon de mon âge vient de se faire offrir une glace et moi, comme une cruche, je n'en ai pas. Le vendeur est installé dans une échoppe ridiculement petite. Il est cerné de toutes parts. S'il lui prenait soudain l'envie d'uriner, il se ferait lyncher sans jugement. Est-ce à cause de la foule, de l'attente? Est-ce par paresse? Mais quand je supplie mes parents, c'est ma mère qui tranche.

— Il n'en est pas question.

Je regarde sur ma droite. Au fond de l'épicerie se trouvent des congélateurs remplis à craquer. Une vague énorme de frustration m'emporte. Que faire? Je contemple à mes pieds des années de souffrance. Elles ne me submergent pas. Elles ne sont même pas agressives. Je les examine avec soin et, finalement, j'en éprouve du plaisir.

«Elle paradait comme une majorette en minijupe. Ah! ces bouclettes dans la parade formaient comme une hutte.»

Et pourquoi pas? Qu'y a-t-il de plus beau que ces retrouvailles avec soi-même? Comme dirait l'autre, c'est le mur du temps que vous dépassez sans prévenir. Quel fracas. Quelle surprise. Devant soi, intact, apparaît l'être en devenir. La ligne est directe. Vous le voyez, là. C'était il y a tout juste une seconde. Tout devient limpide. Les mystères filent jusqu'à vous comme des étoiles.

J'ai commencé à écrire mon journal. C'est Luce qui m'a fait ce cadeau. Elle m'a dit que je devais noter tout ce qui pouvait me passer par la tête : au début il ne se passera rien de spécial mais, après, elle m'a assurée que j'allais vraiment m'amuser. Il m'a fallu plusieurs mois avant de me lancer. Je laissais traîner le petit cahier dans le salon. Luce a choisi une couverture avec un paysage exotique. Parfois je le regardais en passant. Le soleil qui se couche, les espoirs de vie meilleure, dans un autre pays, dans une autre vie, toutes les tentations de la fuite me venaient à l'esprit. Un piège.

Impossible de commencer quoi que ce soit dans ces conditions. J'ai eu besoin d'un dimanche particulièrement gris et morne. J'étais installée sur mon canapé. Rien à la télé, plus rien dans les magazines, pas de livre. Seul un verre d'alcool fort me réchauffait les entrailles. J'ai saisi le cahier et je l'ai ouvert. Un paysage chaleureux de lignes parallèles s'est offert à mes yeux. Pour moi qui souhaitais trouver une manière de construire ma vie, ces lignes furent ma première pierre. Je ne connais pas l'angoisse de la page blanche. Il me faut juste du temps pour trouver mes mots. Des heures, une journée, un mois : je ne me pose pas la question. Les mots viennent quand ils veulent. S'il faut vraiment appeler cela de l'inspiration, je veux bien. Je n'ai que des loisirs. Ce n'est pas mon métier. Je plains les écrivains et je ne les envie pas d'être à la merci de l'inconnu.

J'avais envie de parler de la vie d'un clochard. C'est passionnant, les clochards : ils ont tous des histoires extraordinaires à raconter. Comment tombe-t-on dans cet état? Regardez la télé, elle explique tout. Un jour vous êtes une citoyenne. Le lendemain vous ne l'êtes plus. Ce n'est pas compliqué. Avant de tomber, certains avaient des familles, gagnaient bien honnêtement leur croûte. On trouve aussi des gens qui étaient très riches. Parmi ceux-là, un grand nombre se suicide : l'idée de devenir semblable à ce qu'ils avaient l'habitude de considérer comme des animaux leur est insupportable. Quelques-uns survivent tout de même : ils deviennent fous et forment un bataillon original dont on pourrait avantageusement tirer parti. Les contrastes attirent l'attention. Ils excitent l'intérêt.

Dès qu'un rêve me fait le plaisir de rester dans mon esprit, je le capture dans mon cahier. Généralement je n'y comprends rien. Seulement c'est étrange, c'est coloré. Les dauphins volent dans l'espace intersidéral, les planètes s'arrêtent aux feux rouges, des yeux se regroupent pour écouter du jazz et Lazare joue aux cartes dans un tripot. Je m'étonne de voir revenir des personnes identiques dans les différents rêves dont je me souviens. J'ai toujours voulu être comédienne, je ne le cache pas. Je suis trop belle pour ça. Je n'ai qu'à regarder les hommes pour qu'ils rampent à mes pieds. C'est trop facile. Que voulez-vous que je fasse sur des planches? Les spectateurs ne regarderaient que mon cul et ce n'est pas cela qui m'intéresse.

Je préfère penser à cette comédienne extraordinaire qui me rend parfois visite la nuit. Elle essaie toutes sortes de choses. Jamais elle n'est assurée de réussir et souvent elle se casse le nez sur des bêtises. Mais elle rêve. Elle a des désirs si intenses qu'elle me bouleverse. Elle voit la vie en profondeur. Rien ne lui passe sous les yeux sans qu'elle en ressente la nature véritable, les origines, les destinations. Elle voit.

Hier, j'ai appelé Luce. J'avais très envie de la voir. On ne peut pas rester toujours seule. Parfois, oui, toujours, non. Évidemment, rencontrer des gens est presque aussi difficile. Comment savoir qui ils veulent avoir en face d'eux? Pour m'en sortir, j'ai rangé toutes les personnes que je connais en trois paquets. Certains jours, j'ai besoin d'une présence. Je ne demande rien d'autre que de passer quelques heures avec quelqu'un. Pour remplir ce rôle, je choisis mes amis qui aiment le plus parler. Ils sont aveugles à tout et ne désirent qu'une paire d'oreilles attentives, ce qui ne me demande pas trop d'efforts et me permet de rompre ma solitude à peu de frais. J'écoute les «Tu ne devineras jamais qui j'ai croisé dans la rue», les «Je ne sais pas si tu réalises l'état de nos sociétés occidentales» ou, sur le pas de la porte, alors que je suis gavée d'humanité à en éclater, les «Ah, dis-moi, avant de partir, il faut que nous parlions de la soirée que j'ai organisée la semaine dernière, parce que je me demande». Ce sont ces véritables bouffeurs d'oreilles qui m'apportent la paix quand j'ai besoin de me dire que l'on pense à moi.

Dans le deuxième paquet, c'est l'inverse : je sélectionne les muets, les empêtrés, les longs à la détente, les «Il faut que j'y réfléchisse.» Ceux-là, en général, sont moins éblouis par mon décolleté que par mes propos. Ça les épate qu'une femme comme moi puisse aligner plus de deux mots et se souvenir du début de sa phrase.

Mon dernier paquet, je le réserve aux moments où j'ai envie de discuter. Ça ne m'arrive pas souvent. C'est problématique. Je dois tout bien régler dans ces cas-là. Une longue période de préparation est indispensable. Mon miroir m'est d'un grand secours. Je dois d'abord établir la liste des sujets dont nous allons parler. Il est également nécessaire de bien évaluer le type de relation dont j'ai envie, c'est-à-dire que je dois décider de la part de séduction à déployer pour m'amuser.

Une de mes réussites, un des plus beaux rôles sur lesquels je travaille est celui de l'artiste qui manque d'assurance, l'adolescente en admiration devant les merveilles de la vie qu'elle devine, mais qui l'effraient un peu. Cette image dans le miroir m'émeut profondément. Je dois me contrôler pour en limiter les charmes. Je tente de trouver ce petit élément, une mèche de cheveux qui retombe sans cesse, un chemisier un peu trop ouvert et avec lequel je peux jouer, qui me placera toujours dans l'à-côté. Il est sûr que le premier désir de mon interlocuteur sera de me révéler les mystères dont j'ignore tout et les équilibres – de satisfaction – qui me manquent. Un tel armement assure des discussions passionnantes.

Avec Luce, hier, j'ai repris l'éternel rôle de la jeune femme moderne. Il me fallait lui renvoyer un peu de son propre caractère pour que notre rencontre soit assez intense. Le moins que l'on puisse dire est que je n'ai pas raté mon coup. Luce est mignonne. Elle est un peu froide et très sûre d'elle-même. Ce qui intrigue dans sa personnalité est cette impression qu'elle veut donner – et à laquelle elle s'accroche comme à un désespoir trop beau pour être abandonné – de toujours aborder les questions essentielles. Non, l'argent, le cul ou d'autres fariboles ne sont pas dans ses priorités. La chère! Si elle n'était pas aussi égoïste, calculatrice et intéressée en tout, on se plairait volontiers à croire à cette image qu'elle plaque sur son visage avec son fond de teint. Mais moi, je la connais. Elle me tuerait si elle m'entendait car elle est incapable d'assumer sa nature profonde. Mais qui le pourrait? L'équilibre entre l'en-dessous et l'au-dessus peut-il être modifié sans tromperies? En tout cas, Luce deviendrait un sacré monstre si on lui faisait croire qu'elle doit vivre ses fantasmes au grand jour. Il ne m'a fallu qu'une heure de préparation avant de la rencontrer : j'ai l'habitude.

Il est presque deux heures. Je dois me dépêcher si je veux arriver à temps. J'ai rencontré un type formidable. Il travaille comme serveur dans un restaurant. J'avoue que, du point de vue social, ce n'est pas le paradis.

Les millionnaires envahissent parfois mes rêves. Mais qui sont-ils? Qu'ont-ils sacrifié pour en arriver là? Rien? Je ne peux pas le croire : pensez aux gens riches que vous avez pu rencontrer dans votre vie. Vous ont-ils plu? Votre compagnon de tous les jours, celui qui se rappelle toujours les événements qui vous touchent, ne vous a-t-il pas paru bien plus proche de vos attentes? Bien sûr, moins on a d'argent et plus on fait attention à ce qui ne coûte rien. On se rattrape comme on peut. C'est vrai, si moi aussi j'avais une énorme masse d'argent, peut-être que d'autres choses m'intéresseraient. Peut-être même que ça me courrait passablement sur les nerfs d'avoir un tendre petit mâle qui pense aux infimes détails de ma vie quotidienne alors que mes rêves auraient pris de l'ampleur, alors que je pourrais rêver aux sommets de la société, inaccessibles hier encore, et que des projets complètement démentiels germeraient dans mes pensées comme de superbes orchidées. Aux ordures les marguerites, les pissenlits et les boutons-d'or! Fini, les répétitions. Grandir : avec une belle position sociale, je pourrais enfin grandir. Décoller de ce plancher bien trop proche pour que je me sente en sécurité. Je veux des ailes. Et si ce ne sont pas celles d'un ange, je m'en fous. Je m'accommoderais bien vite d'un démon sulfureux pourvu qu'il disperse les nuages qui paralysent actuellement ma vue. Voler, passer le mur du son dans une explosion de joie insensée, foncer sur le soleil pour le faire éclater, piquer sur la populace amassée dans la peur du lendemain, atteindre sans honte à ces sentiments qui font de vous des dieux : ah! la société et ses menus problèmes ne sont rien. Volons, partons, quittons tout, arrachons avec nos dents ces liens futiles qui nous empêchent d'être nous-mêmes. La morale n'est rien. Les autres ne sont rien. Ce qui compte, c'est la puissance, ce sont ces hauteurs auxquelles nous rêvions quand nous étions petits. Le reste ne vaut rien. Les larmes, l'amour, balivernes! Attachement des faibles à leurs faiblesses. Chacun pour soi et le compte en banque pour moi. Je les jetterai tous dans une grande poubelle pleine d'ordures, tous ceux qui m'ont empêchée d'être ce splendide monument à la gloire des puissances invincibles de ce monde. Je veux être un rêve vivant, je veux faire crever de jalousie tout ce qui vit sur terre, je veux réduire à néant les désirs qui peuvent naître de l'ensemble de l'humanité : tout n'est rien; rien par rapport à moi. Je renverserai les loques qui se traînent à mes pieds, je prendrai le contrôle sur tout ce qui vit, sur le passé du genre humain, sur l'avenir des morts que je vois se traîner autour de moi et dont les esprits atrophiés sont demeurés à un stade de développement tellement infantile qu'ils me permettent de rire le matin, quand je me lève et que je jette ma céleste vue sur ces immondices qui parsèment comme les cadavres d'un champ de bataille le sol que je foule de mes pieds d'or et de jade, riant et hurlant enfin de cette vie divine que les générations passées n'ont même pas eu l'audace d'imaginer. Oui, non, tout, j'exercerai sans limites mon pouvoir sur vos corps, et vos esprits seront pour moi des jouets que je briserai à mon gré : sous le coup d'une colère juste, parce qu'elle sera mienne, ou sous le rictus indompté de ma nature profonde, de mon vrai moi, de la véritable entité qui gît tout au fond de mes pensées, cette chose que vous cachez, vous, sous des couches de honte et de remords; moi, j'en ai fait ma réalité, je lui ai donné la vie, et mes efforts sont justement récompensés. J'ai tout abandonné pour assumer ce que des milliards d'êtres humains se sont toujours refusé à être. Et de la main de mes caprices je vous imposerai les souffrances les plus abominables jusqu'à ce que vous aussi réalisiez que rien ne compte dans ce que vos yeux vous révèlent : tuez, trahissez, volez vos proches, trompez les êtres qui vous sont chers, violez les intimités pour asseoir cette force que vous commencez à sentir monter en vous, mais dont les développements à venir emporteront les yeux de votre imagination. Oui, vous sentirez les vents fous des ténèbres gonfler les muscles de votre foi toute noire dont les lumières infernales resplendiront sur le monde pour soumettre ces gens que vous pensiez vos semblables, mais qui étaient destinés, vous le réaliserez bien vite, à servir vos desseins, parce qu'en vérité je vous le dis, il n'y a que des crétins qui se soumettent aux règles et des dieux dont la volonté resplendissante conduit le monde par le bout du nez. Laissez-vous gagner par la rage de vivre mais surtout, surtout, prêchez pour l'amour de votre prochain, ne prononcez jamais une parole qui pourrait trahir vos désirs les plus légitimes, placez sous le couvert du secret le plus intime ces vérités qui sont l'horizon de vos attentes flamboyantes, faites l'agneau, avouez votre innocence; quand un mort que vous aurez poignardé comme il se doit s'étendra à vos pieds, montrez les défauts insupportables qui, regardez, émanent de sa carcasse purulente. La blancheur immaculée de vos intentions imposera aux incrédules une foi saine et sauve de toutes fautes. Vous convertirez les plus faibles, vous en imposerez aux brutes et, au bout du compte, une armée innombrable gonflera les rangs de cette armada invincible qui vous conduira au bien suprême, au respect de vos aînés, aux soumissions de la terre et du ciel, à votre divinisation et au pouvoir absolu qui seront les vôtres.

Et vous, vous qui luttez pour ne pas vous sentir concernés : osez enfin vous regarder tels que vous êtes.

Je franchis la porte de mon immeuble et la rue s'offre à moi. Je cours, je bondis. Je veux arriver à temps pour le voir et l'embrasser. Même s'il n'est que serveur, avec lui j'ai retrouvé ma joie de vivre. J'ai beau rêver à des réussites splendides, je dois bien avouer que la pauvreté a du bon. Elle préserve ma conscience de tout le mal qu'elle est tentée de faire. Des enfants jouent dans un petit parc enneigé. Les mères fument des cigarettes en échangeant des recettes de cuisine et des potins sur leur conjoint. Devant les portes de l'épicerie, un quêteux tente de faire l'intéressant. Il n'y a pas de vent. Les trottoirs sont bordés de neige. On se croise dans les dédales de nos destins. Je me presse. Je suis prise avec ma rage. Il me faut un calmant. Vite. Il me reste deux coins de rue avant de parvenir devant le petit restaurant qui ne paie pas de mine mais qui, tout de même, propose un menu acceptable. J'entre dans un dépanneur pour acheter un paquet de cigarettes. Je perds du temps. Tricote avec mes jambes une ode à mon doux, à lui qui là-bas se casse la tête pour nous imaginer un avenir de bonheur partagé. Ça fait un mois. Pas la peine de vous dire que j'en espère d'autres.

Hier Luce est venue me rejoindre dans un bar. Nous avons pris un apéritif. Je ne sais pas pourquoi je prends toujours un martini. Ce n'est pas vraiment bon et, quand j'en bois plus d'un, j'attrape un mal de tête à tout casser. Les lois qui dirigent nos gestes les plus quotidiens sont étonnantes.

Luce n'a pas changé d'un pouce depuis notre dernière rencontre. Elle venait de terminer sa journée de travail. Impeccablement habillée, maquillée comme si elle sortait de sa salle de bains. Aucune critique ne pouvait franchir son allure satisfaite. Elle a pris un jus de tomate. L'originale. J'ai bien essayé de lui conseiller d'y mettre de la vodka, mais elle ne m'a pas écoutée. Elle n'écoute personne.

— Parle-moi un peu de ton boulot. Ça doit être excitant, un véritable milieu de travail. Il doit y avoir quelques beaux mâles parmi tes supérieurs. Je t'envie.

Luce n'a pas apprécié ma blague. Elle est même montée sur ses grands chevaux.

— Je me fais draguer sans arrêt par tout ce qui bande dans ma boîte, même ma patronne a essayé de me placer avec un type qui a sa propre entreprise et qui va devenir notre partenaire. Alors ne m'en parle pas, je ne sais pas comment m'en sortir.

— Pourquoi n'en profites-tu pas? Tu vas peut-être, en plus, découvrir un type formidable. Sans blague : vous faites le même métier, vous ne devez pas être si différents l'un de l'autre.

— Tu me prends pour une pute ou quoi? Le boulot et l'amour sont incompatibles. La galère garantie. Et puis c'est mon supérieur, alors la gentille femme qui apprend tout de son père de substitution, je passe mon tour.

— Tu devrais peut-être te laisser aller un peu plus souvent, ma jolie. Tu vas finir vieille fille, et pauvre en plus. Saisis la chance : décolle!

— Bon, et toi, parle-moi un peu de ton amoureux. Je l'ai croisé dans la rue la semaine dernière. C'est vrai que tu es bien tombée. Tu m'en enverras une copie.

Alors là, je n'ai pas apprécié. Pourquoi est-elle venue me chercher des poux?

— Je n'aurais jamais dû te le présenter, je te connais, tu vas tout faire pour me le piquer.

Luce n'a pas enchaîné. Elle m'a dit que j'avais raison, qu'elle devrait se laisser aller et elle a commandé une double vodka pour terminer son jus de tomate. Il a fallu choisir un film. Ce qui me sidère, c'est cette froideur qu'elle a. Comment veut-elle qu'on partage quelque chose avec la perfection incarnée? Je ne suis pas à la hauteur. Elle a voulu que nous allions voir un film français. Et puis quoi encore! J'ai fait bifurquer le navire pour une escale plus plaisante. Luce a recommandé une double vodka.

C'est à ce moment-là sans doute que j'ai commencé à me poser des questions.

— Tu as un truc à me dire?

Elle m'a regardée, mais ses yeux ont plongé vers le sol. Était-ce de la peur ou de la honte que je venais d'y lire? Malgré toutes ses habitudes de jeune fille bien comme il faut, propre et chez qui rien ne dépasse, Luce se colore les cheveux en noir. Ils reluisent d'une profondeur qui lui manque peut-être. Ce pourrait être également un morceau de ce néant qui l'habite et qu'elle expose pour s'en défaire ou pour l'admirer le matin et le soir dans sa glace. Je l'imagine bien, se demandant ce qu'elle fait là, travaillant, seule ou à peu près, parée contre toutes les épreuves de la vie, caparaçonnée comme une tortue sénile vieille de deux cents ans. Elle regardait toujours le sol, plongée dans sa nuit.

— Ne reste pas comme ça, dis-moi ce que tu as en tête.

Elle n'a pas bougé jusqu'à ce que sa vodka lui soit servie.

— C'est d'accord, allons voir ta comédie, on va s'amuser.

Ses yeux fixaient son verre. Ses épaules s'étaient légèrement affaissées. Je ne l'avais jamais vue dans cet état, presque vulnérable.

— Tu sais, je ne suis pas cette femme parfaite que tu imagines. J'ai des doutes comme tout le monde. Je ne m'aime pas, comme tout le monde. Et si je réalise mes projets les uns après les autres, je suis encore bien loin du bonheur. D'ailleurs, le bonheur, je n'y crois pas.

J'étais soufflée. Luce. Elle tremblait doucement comme les gens dont les nerfs tiennent difficilement la situation en main.

— Excuse-moi, je ne suis pas sortable en ce moment.

Il n'y avait plus rien à dire. Elle était en train de me faire croire qu'elle connaissait une période à vide. Je l'avais pourtant entendue lancer des phrases du type : «Eh oui, c'est comme ça, avec nous, les meilleures.» Ces sortes d'affirmations ne servent qu'à une chose : une fois que les mots se sont envolés, on ne peut plus les arrêter. Ils viennent de définir votre personnalité – surtout si vous les avez prononcés sans réfléchir – et vous aurez à vous y conformer avec d'autant plus de soin que votre confident vous est proche. Vous êtes sûre de vous en mordre les doigts un jour ou l'autre. Qui est toujours sur le haut de la vague? Quelle est l'imbécile qui pense que cela est souhaitable? Luce m'avait expliqué aussi : «Tu vois, les *winners* doivent rester avec les *winners*, les *losers* avec les *losers*, c'est la vie», et j'avais très nettement senti où elle se situait. La pauvre.

— Je vais y aller. Désolée, tu iras au cinéma sans moi, je ne peux pas sortir dans un état pareil. Je te rappelle la semaine prochaine.

Et ma Luce s'était levée et avait disparu comme un fantôme.

Que faire après une telle sortie? Je suis restée dans le bar et je suis parvenue à résister à mes pulsions les plus destructrices : je n'ai pas commandé un autre martini. J'ai pris une margarita. Un type est entré pour faire un laïus. Il vendait des jouets pour aider les gens frappés de cécité et de surdité. Comment imaginer des gens vivant avec ces deux handicaps? J'ignore même comment ils communiquent avec le monde extérieur. Que peut-on leur enseigner dans une école? Un métier? Noël approche et, malgré la crise, nous avons été une demi-douzaine à acheter des jouets. Je ne l'ai pas regretté. Je suis tombée sur un de ces petits objets auxquels l'imagination s'accroche sans raison apparente. Il s'agissait d'un modèle réduit de télescope en cuivre. Je me suis jetée dessus : j'ignore vraiment d'où me vient cet attachement, mais quand je l'ai eu en main, une lumière s'est mise à briller devant mes yeux. Et ce n'est pas la première fois que je tombe en extase devant un télescope. Celui-là, en plus, n'en était pas vraiment un. Plutôt une parodie échappée du rêve d'un enfant.

Si un jour j'ai ma propre maison, je crois que j'aimerais en faire le modèle réduit. Je pourrais alors d'un seul regard m'assurer que tout va bien chez moi. J'irais d'une pièce à l'autre, j'époussetterais chaque semaine et le monde serait merveilleux. Il y aurait aussi des personnages, des femmes et des hommes. Je suis sûre que leur vie à eux serait captivante et même qu'elle aurait une certaine influence sur la mienne. Plus vous prêtez d'importance à une réalité, quelle qu'elle soit, plus, en retour, elle prend de place dans votre existence. Les marionnettes des petites filles ne comptent-elles pas tout autant pour elles que les personnes qui les entourent?

La soirée était à peine commencée et j'avais trop bu. Je suis allée me dégourdir les jambes. La neige m'a rendu le monde plus beau. Mais j'aime la chaleur et il me fallait une pizzeria. Je me suis installée près d'une large fenêtre. Ce sont des Italiens qui tiennent le restaurant. La patronne me l'a confirmé, ils sont originaires de Florence, la plus belle ville du monde, à n'en pas douter. Puisqu'ils l'ont quittée.

Luce m'avait émue. Elle semblait enfermée très profondément en elle. Mais ses déclarations ne m'avaient convaincue qu'à moitié. Elle paraissait répéter une scène qu'elle n'aurait pas travaillée. Pour éveiller la compassion, il ne s'agit pas seulement d'être sincère. Il faut en plus jouer la comédie, sans quoi personne ne vous croit.

Pauvre Luce, peut-être était-ce un peu de sincérité qui manquait à son malaise? Travailler, s'insérer en haut de l'échelle sociale, mener à bien des projets : c'est une véritable machine qui ne doit et ne peut pas connaître de déraillements. Alors sa déprime, elle y trouvera bien un remède. De toute façon elle ne m'écoute jamais.

Ma pizza était excellente. J'aime les Italiens. Je suis allée trouver un film pour Luce dans le journal. Pas trop sérieux, pas trop débile, voilà : «un film policier psychologique où l'humour fait sa loi.» C'est parfait. Le journal annonçait également la sortie d'un livre qui portait un beau titre : *Clarisse aux mille visages*. La critique m'a rappelé un film, que j'avais vu à la télévision, dans lequel un écrivain perdait complètement les pédales parce qu'il voyait ses personnages débarquer dans sa vie. Ou plutôt, il le croyait, ou ne voulait pas y croire, c'est difficile à expliquer. Il cherchait le visage de son héroïne qu'il ne pouvait pas connaître, j'avais bien aimé cette image.

Il neigeait encore quand je suis sortie. J'ai regretté les profiteroles, j'ai eu l'impression que j'allais exploser. La ville est à peu près déserte. C'est agréable de se balader avec cette sensation de solitude. Les hirondelles ne savent pas ce qu'elles perdent. Pourquoi partent-elles, au fond? La chaleur ne me paraît être qu'un aspect de la question. Elles auraient pu s'adapter. Non, elles préfèrent le trajet qui va leur assurer du confort. Courage ou facilité?

Je me suis arrêtée au milieu de ces idioties. Je me trouvais devant la vitrine d'un grand magasin et j'ai cru apercevoir Luce au coin de la rue. Je me suis dirigée dans cette direction aussitôt, mais elle avait disparu. Ce devait être une autre personne. Luce aime se promener en ville parfois, et ce soir une bonne marche aurait pu lui permettre de calmer ses esprits. La ressemblance était assez frappante pour que je me pose des questions. Ou j'avais très envie de la voir pour lui apporter du réconfort. Ou elle n'avait pas envie de me voir. Parce que la femme que j'avais vue s'était évanouie dans les airs très rapidement. J'ai ressenti une impression désagréable à l'idée que l'une de mes amies pourrait en arriver à se cacher pour ne pas se trouver face à face avec moi. Et en même temps, je la concevais fort bien, cette idée. Je veux dire par là que si j'avais surpris Luce dans une ruelle, dissimulée derrière un tas de poubelles et attendant que je passe mon chemin, je n'en aurais pas été étonnée. Je l'appellerai dès demain soir pour avoir de ses nouvelles. Ce n'est pas parce que nous sommes différentes l'une de l'autre que je vais la laisser sombrer sans faire un geste. Et même si notre amitié repose sur un flou plutôt expérimental, je l'aime beaucoup.

Je marche. Il me reste cinq minutes avant d'être en retard. Mon homme m'attendra, mais je préfère arriver la première. Hier j'ai vu une annonce dans le journal qui m'a paru à moitié sérieuse, mais qui m'a quand même beaucoup intéressée. Paolo, un peintre, cherche un modèle féminin. C'est vraiment touchant. Je n'ai pas pu m'empêcher de penser que c'était un moyen comme un autre de faire des rencontres en y mettant un brin d'originalité. Il faut avoir l'esprit tordu pour prendre des détours pareils. Et puis je me suis demandé si ce type n'était pas sérieux. On ne sait jamais. Alors je me suis imaginée muse d'un artiste. Ce n'était pas désagréable. Je dois dire que j'aurais plutôt un *a priori* favorable vis-à-vis de ces énergumènes. Ils n'ont pas un rond en général. Seule leur passion pour un art peut les racheter. Est-ce assez?

Si l'art est leur passion, être une muse, ça peut être très valorisant. C'est vrai. Vous ne faites rien de plus que d'habitude, et un type fait de vous une œuvre d'art. Il faut qu'il ait un peu de talent, sans quoi l'affaire est mal partie. S'il en a, on peut commencer à s'amuser. Comment me représenterait-il, ce Paolo? Que verrait-il en moi que je connais déjà, et qu'y découvrirait-il que je me suis toujours refusée à voir? C'est sérieux. J'ai toujours aimé me demander qui j'étais vraiment. Ce serait un moyen d'avoir des éléments de réponse. Et si, au bout du compte, il faisait de moi un monstre plutôt que cette femme désirée que je sais être? Je mets les choses au pire, histoire de ne pas me faire d'illusions. Donc il rejoint à travers moi le fond de la nature humaine, et je me transforme en monstre. Je sors mes griffes, les barrières tombent, je me découvre carnivore et en plus anthropophage. Que faire de toutes ces révélations? Fuir? Le laisser simplement tomber comme une vieille chaussette? Il aurait en tout cas intérêt à être convaincant. Mais s'il l'est, si la profondeur de son regard est à la mesure de son talent, je vais en prendre plein les dents, moi. C'est dangereux ce métier. Je l'avoue, je suis tentée.

Ne plus jouer la comédie, avoir le sentiment, même plongée en plein malheur, de rejoindre un fond de vérité, de ne plus errer dans un chaos d'incertitudes, de toucher, même du bout des doigts, quelque chose de solide, n'est-ce pas un rêve que seuls les artistes peuvent nous faire caresser? Évidemment, il y a le problème de l'argent. Vous voulez vous balader avec la vérité en poche. Elle est là, tout entière. Personne ne le sait, mais vous, si. Bon. Vos poches en sont pleines et soudain vous avez faim, ou vous avez envie d'un week-end à la campagne, ou cela fait deux mois que vous n'avez pas acheté de nouveaux vêtements et vous êtes dans un état épouvantable, vos collègues rient de vous au bureau, les passants que vous croisez chaque matin ont fini par repérer les deux ensembles que vous faites alterner. La situation ne peut plus durer, nous sommes bien d'accord. Eh bien, à la maison, l'artiste continue à vous refourguer des tonnes de vérité dans les poches. Mais elles se révèlent désespérément vides au moment où vous vous approchez d'une caisse enregistreuse. Pleines quand vous entamez des discussions, quand vous regardez le monde, quand vous rencontrez vos amis, quand vous vous regardez dans le miroir, quand vous imaginez le passé, le présent et l'avenir; vides dans les magasins et les agences de voyages. C'est problématique. Je crois qu'en tant que muse je saurais trouver des solutions. Je pense même que cela ferait partie de mon travail.

Bon, assez déliré : je ne suis pas une hirondelle.

Le restaurant de mon homme est au coin de la rue. Je traîne les pieds pour savourer ces instants qui précèdent les retrouvailles. J'éprouve toujours une petite peur. Et si le restaurant avait été braqué pendant mon absence? Et s'il était mort? Que serait ma vie? Il faudrait recommencer, rencontrer quelqu'un d'autre. Avec le lot de souvenirs que l'on s'est fabriqué, ce ne serait pas évident. Il faudrait un bon bout de temps pour retrouver des sourires francs et heureux. Je le ferais, bien sûr. Mais la perspective de la douleur m'enchante autant qu'un enterrement.

Le restaurant est presque vide. J'entre pour me mettre au chaud et prendre un café. Le patron vient me saluer. On discute des horreurs qu'il a fait peindre sur sa vitrine. Il voulait représenter l'image de son client idéal. Je renonce à le décrire. Il est marron et rouge. Avec une bonne bedaine, et une grosse faim qui le taraude. Je lui ai conseillé de rajeunir son image pour attirer une clientèle plus motivante : il m'a ri au nez.

— Ce sont les vieux qui ont l'argent.

Je n'ai rien trouvé à redire.

Mon homme arrive des cuisines. Nous nous embrassons. Il est vraiment craquant. Il me demande si je vais bien et ce que j'ai fait aujourd'hui. Je lui parle de Luce qui m'inquiète. Il ne répond rien. Je lui parle de l'annonce du peintre dans le journal. Il ne dit rien. Je lui dis qu'il va falloir qu'il prononce des phrases, qu'il utilise des mots, sans quoi je vais avoir du mal à comprendre ce qui se passe.

Il est très étrange le sentiment que l'on éprouve quand on sait pertinemment qu'un problème est là, mais que l'on demeure incapable de le formuler avec des mots. Vous l'aviez bien vu venir, vous n'êtes pas si bête que ça. Et même, je dirais que vous êtes moins bête que la moyenne, mais vous êtes restée comme une cruche à ne rien faire pour débloquer cette situation dont vous sentiez qu'elle n'était pas dans son état habituel, c'est-à-dire en contact direct avec le bonheur. Oui, ces petites doses d'imperfection, vous les avez suivies des yeux. Elles ne se sont pas imposées en bloc. Elles se sont approchées l'une après l'autre, doucement, sans un bruit, pour prendre position en vous, en lui et en vous, et maintenant, elles sont les reines, elles contrôlent toutes les données du problème. Tout est prêt pour un renversement radical de la situation. Vous vous êtes accrochée à un moment particulier de votre vie que vous jugiez le meilleur, vous n'avez pas su évoluer, par paresse, par peur peut-être de ne pas retrouver un éclat aussi vif dans le regard nouveau de vos désirs, et à présent, il est trop tard.

Je regarde mon homme. Les larmes ne me viennent pas encore. Je rêve. Je pars dans ces contrées merveilleuses où il me prend dans ses bras, où il m'enlève à tout ce qui peut me retenir au sol pour m'emporter dans le ciel chaud et bienveillant de notre amour. Nous cueillons des fruits sucrés gorgés d'avenir. Nous roulons dans une herbe douce et tendre comme un baiser. Nous rions de toutes ces folies réalisées sans réfléchir, de tout ce qui peut nous grandir à nos propres yeux, de ces lois sans fondement que nous avons foulées aux pieds parce que nous avions tous les droits et qu'il était impossible de nous en empêcher. Le ciel et la mer ont accueilli nos délires dans des cris de joie : personne encore ne les avait surpris comme nous avons toujours surpris le monde entier.

Il ne dit toujours rien. Je prends ses mains dans les miennes. Il les retire. Je ne suis pas rassurée.

— Je veux que tu me parles tout de suite. Tu me tortures comme si j'étais ton esclave. Je veux savoir ce qui se passe. Tu n'as pas le droit de me faire souffrir comme ça.

Il ne prononce pas un mot. Je le gifle. Il recule et semble sortir d'un rêve, le salaud.

— Parle-moi immédiatement et si tu n'as que des saloperies à me raconter, fais-le vite ou je vais te tuer sur-le-champ.

— C'est fini entre nous. Luce et moi, nous nous aimons et nous allons vivre ensemble.

J'habite un appartement, pas très loin du centre. J'épluche des oignons, installée à ma table, près de la fenêtre. Ma cuisine n'est pas très grande. Dehors la neige n'a blanchi que les toits. Le reste, les trottoirs, le parc où des enfants viennent jouer, tout est gris. Cette foutue neige est incapable d'embellir quoi que ce soit. Elle est grise de pollution. Des flaques presque poisseuses vous empêchent de garder les pieds propres. Des déchets se sont enfoncés dans cette boue sale. Au premier redoux, ils vont envahir la ville. Ce sont les fleurs de l'hiver urbain, les urbanités qu'on se fait, entre nous, pour bien s'entendre.

À force de vivre seule, j'en suis venue à prendre des décisions comme on fait ses courses. Les supermarchés sont pleins de tous les rêves imaginables. Les rayonnages débordent. Mais les produits se ressemblent trop. Il faut trimer pour être surprise. Le train-train, le ronron, le tourne-en-rond, le cercle vicieux, j'adore, mais ça me fatigue. Je suis une femme de caractère. J'ai décidé d'abandonner ma bonne conscience.

Je ne regarde plus la télévision. Qui sont ces personnes vibrant de poncifs insipides? Quels sont ces films où le bonheur naît de la bonne volonté ou d'épreuves difficiles? J'ai éteint la télé, elle grignotait mon imagination comme une dinde boulimique. J'ai été trompée. On m'a menti.

À la rigueur, je vais au cinéma. Au moins je croise mes semblables. J'aurai la chance d'être installée sans confort, ma voisine ronflera peut-être : c'est tant mieux. Je resterai en contact avec moi-même.

D'habitude je me laisse guider par mes sentiments. Mais il m'est arrivé une histoire le mois dernier. Une belle histoire. Je veux qu'elle continue. Et à présent, je me remue les méninges, je fais la tambouille avec ma cervelle. Je teste des recettes. Tradition et nouvelle cuisine, tout y passe.

Mon ingrédient favori, c'est l'oignon. On a beaucoup parlé des oignons. Il est de ces légumes à pelures successives, avec des couches qui se suivent et ne conduisent à aucun noyau. Ce bulbe de cuisine n'a pas de cœur. Pas la peine de s'énerver, de faire des chichis. Il a un centre, c'est l'essentiel. Séchez, larmes d'épluchage! Hors de moi, niaiseries cardiaques! Ouste, la peur du vide!

J'ai l'impression de m'éplucher moi-même. Je me débarrasse du superflu. Et quand je parviens au centre, je regarde ces paysages dont j'ignorais tout et je suis émue. Les pétales de mes fleurs favorites volettent comme des papillons. Champs, bois, trottoirs, néons, tout devient beau. Je trouve un siège et je m'installe là pendant des heures. J'ai tout ce dont j'ai envie. Le calme et la tempête.

Je suis aux petits oignons. Si je m'écoutais, j'écrirais un livre.

Table

Une place au soleil...9

Hauts et bas..25

Les hirondelles..43

La rage de vivre...63

Répétitions..81

Écrire, c'est tenter de voir l'invisible....................................99

La nuit...117

Le rémora...135

Le pays des rêves..153

Hier encore..171